오답 노트를 쓰는 시간

우주나무 청소년문학은
사려 깊은 삶의 지도를 그리는 데 실마리가 되려는 청춘의 문학입니다.
크고 강해서 사나워 보이나 순한 초식의 코뿔소처럼, 요동치는 마음에 공감과 위안,
버팀목이 되고, 열정 어린 눈에 즐거움과 기쁨을 더하고 싶습니다.

오답노트를 쓰는 시간

유이영
윤수란
정명섭
김영주

우주나무

차례

정답 없는 오답 노트

유이영

나는 예민의 끝판왕 여중생. 그것도 중2다.

우리가 무서워 외계인도 지구에 못 온다지만, 사실 우린 따분했다.

학교, 학원, 집 그리고 다시 학교.

너무 아무 일도 없어서 외계인에게 초대장이라도 보내고 싶었다. 하고 싶은 말도 있고.

그렇다고 간절한 건 아니었다. 오면 귀찮겠지. 역시 아무 일도 일어나지 않는 것이 좋다.

하지만 나의 절친 주예린 씨는 행동파였다. 아, 예린은 성과 끝에 '씨'까지 붙여야 이름 부를 맛이 난다. 아무에게나 씨를 붙이는 건 아니다. 아직까진 예린밖에 없다. 예린은 거리감이 느껴진다지만, 내 이름과 달리 예린은 성을 붙여도 예쁘고 떼도 예쁘다. 난 예린의 이름이 부럽다. 그래서 성까지 붙여 부르는 거다. 부르는 나까지 기분이 좋아진다. 가끔은 예린도 내게 오지인 씨라고 복수하지만, 대부분 '찐'이라고 부른다. 내가 성까지 붙인 이름을 싫어하는 걸 알기 때문이다. 은근히 착한 녀석!

여하튼 주예린 씨는 어느 나라 말로 초대장을 써야 외계인이 올 확률이 높냐면서 적극적으로 알아보곤 했다. 사실 아직도 포기하지 않았다. 도서실만 가면 외계인 책을 찾는다. 그러나 중2

가 할 수 있는 일은 거기까지였다.

생각이 많은 나에게도, 움직임이 많은 예린에게도 하루는 길고 길었다.

어쩌다 학교가 일찍 끝나도 거의 교내에 머물렀다. 오늘도 학원으로 바로 가기 애매한 시간이라 예린과 3층 도서실로 올라갔다. 용돈 떨어져서 편의점도 못 갈 때는 도서실이 최고였다. 사서 선생님도 편히 쉬다 가라고 말씀하셨다.

예민하지만 예의는 있는 우린, 책을 꺼내 읽는 척이라도 했다.

주예린 씨는 이번에도 외계인을 만났다는 군인이 쓴 수필을 골랐다. 사실, 군복 입은 표지 사진 때문에 군인인 걸 알았다. 외계인이랑도 금방 친구 사이가 될 것만 같은 미소 때문이기도 했지만, 얼굴보다 더 큰 파마머리 때문에 군인이라기보단 엄마 같았다. 게다가 어딘가 자유로운 분위기가 책을 들고 있는 예린과도 비슷했다.

오늘은 기필코 외계인 초대 방법을 알아내겠다며 예린은 눈을 빛냈다. 살짝 귀여울 뻔했다. 괜히 놀려 보고 싶어서 나는 입 모양으로 “너라면 해낼 것 같다.”라고 소리 없이 벙긋거렸다. 그러자 예린은 큰 어깨를 움츠리고 손을 모아 기도 자세를 취하며 소곤댔다.

"외계인님, 어서 오세요! 내일 학교 쉬게! 지구가 망해도 좋고!"

생각지도 못한 말과 행동에 "풉!" 하고 웃음이 터졌다. 두 손으로 입을 막았지만, 늦었다. 조용한 도서실에 내 웃음소리가 울려 퍼졌다.

놀라 얼른 돌아보니 모니터에 고개를 박고 일하던 사서 선생님이 움찔했다. 난 주목받는 것이 싫다. 그림자처럼 살고 싶은데 예린과 같이 있으면 그게 잘 안 된다. 뺨이 달아오르고 얼굴이 홧홧했다.

때마침 도서실에 교내 방송이 흘러나왔다. 매주 시를 소개하는 따분한 프로그램이었는데, 오늘은 고마웠다. 덕분에 사서 선생님의 주의를 돌렸으니까.

눈앞의 책들을 쓱 훑어 급히 한 권 꺼냈다. 책을 들고 예린 옆으로 가서 앉았다.

"웬 시집? 찐! 미쳤어?"

앉자마자 예린은 또 말을 걸었다. 대충 무시하려고 했지만, 자꾸 쿡쿡 찔러 댔다.

"찐, 찐! 교내 방송 때문에 지금은 괜찮아! 어서 대답해!"

"표지가 멋있잖아. 눈길과 발자국, 그리고 고독하게 혼자야! 완벽하지?"

"어휴! 역시, 책은 해로워. 중2병이 악화됐어."

주예린 씨는 위험하다면서 고개를 흔들었다. 역시 폰이 가장 안전하다며 책을 내려놓고 스마트폰을 집어 들었다. 핑계도 좋았다.

근데 사실 시집인 줄도 몰랐다. 그저 잘못 뽑았다. 보이는 책 중 가장 얇았고, 제목이 '목숨이 두근거릴 때마다'여서 숨 가쁜 액션 판타지인 줄 알았다. 아, 하나는 맞았다. 다른 의미로 숨 막히긴 했다.

토마토를 보고 수천 개의 심장이라고 하고, 차가운 두부의 촉감을 죽음을 경험한 살갗과 비교한 다소 어렵고 무서운 시들이 실려 있었다.

스르륵 넘기는데, 시 하나가 유독 눈에 오래 남았다. 좋다는 소리가 아니다. 좀 이상하달까? 제목 빼고 다 아는 단어인데, 무슨 소리인지 이해할 수가 없었다.

하지만 "시간을 구부리지 못한다."란 표현이 자꾸 걸렸다. 이해하고 싶으면 소리 내어 읽어 보라던 국어 선생님 말씀이 떠올라 나지막하게 읽다가 멈췄다. "부러지는 손가락처럼 뚝뚝 꽃잎 질 때"라는 시구절 때문이었다.

"아니, 누가 꽃잎 지는 걸 손가락 부러지는 것에 비교해요. 시인님, 이 시 쓰실 때 무슨 일이 있으셨던 거예요? 아니면 저보다 더 아픈 상처를 갖고 계신 건가요?"

닿지도 않을 말을 중얼거리면서도 어쩐지 마음에 들어 끝까지 읽어 냈다.

말맛도 살아 있는 '뚝뚝 부러지는 손가락'은 좀 무서웠지만, "아름다운 완력도 시간을 구부리지 못한다."라는 말은 좀 멋있었다. 스마트폰을 들어 '완력'의 뜻을 찾아보았다.

완력 – 팔의 힘.

육체적으로 억누르는 힘.

이렇게 적혀 있었다.

천천히 시를 읽었다. 온몸이 간질간질했다. 여기저기 말이 돋아나는 느낌이었다. 가방에서 포스트잇을 꺼내 생각나는 대로 끼적였다.

무서운 시다. 그러나 아름다운 꽃조차 죽음 같은 겨울의 언 땅을 뚫고 올라와야 빛을 볼 수 있다. 모든 아름다움은 '구부리지 못한' 시간까지 품을 때 완성된다.

제법 맘에 들었다. 약간 으쓱한 마음에 내가 쓴 글을 예린에게 보여 줬다. 예린은 잠깐 갸우뚱하더니 “중2병 말기 글 같다.”라는 말을 남기고 다시 스마트폰에 집중했다. 뭐 또 그렇게까지 정확하게 짚니. 부끄럽게. 좀 머쓱했는데, SNS를 보던 주예린 씨가 갑자기 소리를 질렀다. 교내 방송도 끝나 다시 조용해진 도서실이 왕왕 울렸다.

“꺅!”

“으아악!”

깜짝 놀라 나도 비명을 질러 버렸다. 뒤늦게 입을 틀어막았지만, 늦었다. 낭패였다. 거북목으로 컴퓨터를 들여다보던 사서 선생님이 이젠 우릴 보고 계셨다. 평소 초승달처럼 웃던 눈 사이 미간에 굵은 주름이 잡혔다. 도서실에서의 소란은 차분한 사서 선생님의 유일한 분노 버튼이었다.

“오늘은 안 되겠다. 일단 나가자.”

“그래! 우리, 방송부 가자! 엄청난 기회가 생겼어!”

뒤쪽에서 왜 여기서 떠드냐는 말도 날아왔지만, 예린의 흥분을 막을 수 없었다.

“나가서 말해. 여기 도서실이라고!”

나는 책상 위에 있던 짐을 가방에 쓸어 넣고, 읽던 책은 도서

카트에 넣었다. 남은 한 손으로는 예린의 뒷덜미를 잡아끌고 도서실을 빠져나왔다. 끌려 나오면서도 예린은 스마트폰에서 눈을 떼지 않았다. 도서실에서 좀 멀어지자, 나는 움켜쥐었던 예린의 옷깃을 놓으며 물었다.

"주예린 씨! 갑자기 소리는 왜 지른 거야?"

"방송부 계정에 공지 글이 올라왔는데, 신입을 두 명이나 뽑는다잖아."

"아니, 겨우 그런 걸로 소리를 질렀다고?"

좀 어이가 없었다. 안전지대에서 쫓겨난 이유가 고작 방송부 신입 소식이라니. 게다가 서두르느라 아까 적은 글을 시집에 그대로 끼워 놓고 나왔다. 누가 보면 코웃음 칠 것 같아, 신경이 쓰였다. 이름은 적지 않아 다행이라면 다행이었다. 여하튼 예린 옆에 있으면 귀찮은 일이 종종 생긴다.

"겨우라니! 무려 방송부인데!"

"그러니까 그 대단한 방송부에서 왜 애매한 2학년인 우리를 뽑겠냐고?"

하지만 예린은 집게손가락을 좌우로 흔들었다. 유치한 드라마에나 나올 포즈였다. 고새 방송부 절친을 통해 알아봤는데, 방송부에 2학년만 둘이나 빠졌다고 했다. 학년 인원수 때문에 받는 거라 오디션도 없다며 발을 굴렀다. 세상 공평한 선착순, 그거면 된다며 이번엔 두 손으로 자기 팔을 감쌌다. 방송부가 아니라 연극부에 들어가야 할 것 같은 과잉 행동이었다.

"그럼 우리 꿔다 놓은 보릿자루, 그거 되는 거 아냐?"

"야! 그게 문제냐? 근데 너 진짜 내가 왜 이러는지 몰라?"

이번엔 아무리 졸라도 안 들어줄 생각이었다. 솔직히 예린의 변덕이 종종 불편했다. 도서실에서 시간 때울 만큼 학원 시간이 붕 뜬 것도 사실 예린 때문이었다. 다음 시간 선생님이 잘생겼다며 시간을 옮기자고 일주일이나 졸랐다. 귀찮아서 옮겨 주었더니 기대한 목소리가 아니었다며 다시 투덜거렸다. 방송부에 들어가도 똑같을 거다. 다음 주 내 급식을 걸 수도 있다.

'이번엔 지지 말아야지.'

밑도 끝도 없는 오기가 올라왔다.

나는 가늘게 뜬 눈으로 예린을 힘껏 노려보았지만, 결국 졌다. 그 이름 때문이었다.

"로아 선배."

아, 맞다! 청학중의 여신 정로아가 방송부라는 걸 잠시 잊었다. 예린은 입학하자마자 정로아에게 반해서 작년에 방송부 면접까지 봤었다. 물론 의도를 들켜 떨어졌지만.

근데 사실 나도 정로아를 좋아했다. 더 솔직히 말하자면, 내가 먼저였다.

"아, 정로아."

"야, 야, 선배님이라고 안 붙일래? 방송부 군기가 얼마나 센데 이래?"

이어지는 예린의 목소리가 멀어졌다. 난 1년 전 입학 날로 돌아가 있었다.

초등학교 때와 달리 입학식부터 혼자 해내야 하기에 교문에서부터 버벅거렸다. 어디로 가야 할지 몰라 두리번거렸지만, 답을 찾지 못했다.

"내가 안 크면 어쩌려고 교복을 이렇게 크게 맞춰! 창피하게 이게 뭐람!"

손등까지 내려오는 교복 재킷 소매 끝을 쥐어뜯으며 엄마 탓을 하고 있는데, 맑은 목소리가 들려왔다.

"너 신입생이야? 그럼 나 따라와!"

고개를 돌려 보니, 처음 보는 사람이 나에게 손짓하고 있었다.

"네, 네!"

대답을 두 번이나 하고 고개를 꾸벅 숙이자, 화사하게 웃었다. 그러곤 앞장서 걷기 시작했다. 교내가 런웨이라도 되는 양 허리를 곧게 펴고 걷는데, 당당함이 멋있었다. 뒤따라 걸으며 '선생님이시겠지? 어떤 과목일까?' 살펴보는데, 뭔가 이상했다. 어깨선이 딱 맞고 허리가 쏙 들어간 짙은 남색 재킷과 길지도 짧지도 않은 무릎 딱 위에 닿는 회색 플레어스커트가 눈에 익었다.

'잠깐! 이거 우리 학교 교복인데? 그럼 학생이라고?'

나와 달리 키도 컸지만, 옷맵시가 내가 입은 교복과는 너무나 달랐다. 놀라 걸음을 멈추자, 앞에 가던 선생님, 아니 학생도 멈췄다.

"입학식은 강당에서 해! 강당이 뒤에 있어서 많이들 헤매!"

돌아보며 화사하게 웃는데, 가슴에 아까는 못 본 노란 명찰이 보였다.

"정, 로, 아."

나도 모르게 소리 내서 읽어 버렸다. 입을 막았지만, 이미 나온 소리는 어쩌지 못했다. 정로아는 고개를 갸우뚱하더니 이내 웃었다. 봄 햇살처럼 해사하게.

"응, 내가 정로아야. 2학년이고, 나 학기말에 학생회장 나갈 예정이니 잘 외워 둬!"

정로아는 손을 내밀어 악수를 청했다. 처음 만났는데, 자연스럽게 자기 포부까지 말하다니 어른 같았다. 어제까지 어린이라고 불리던 나와는 차원이 달랐다. 내민 손을 붙들고 고장 난 보블헤드 인형처럼 고개를 계속 끄덕였다. 입 속으로는 정로아, 정로아 수십 번 되뇌면서. 그때 기억 때문인지 내겐 로아 선배보단 정로아 세 글자가 더 완벽했다.

그 뒤로도 가끔 마주쳤지만, 정말 학생회장이 된 정로아와 대화 나눌 기회 따위는 없었다. 해, 달, 별을 보듯 멀리서만 보았다. 사실 그것도 만족스러웠다.

"찐! 같이 가 줄 거지?"

예린의 목소리에 정신을 차렸다. 내가 딴생각하느라 대답이 없자, 예린이 눈을 크게 뜨고 얼굴을 들이댔다. 귀찮다고 말하고 싶었지만, 정로아 세 글자가 입에 남았다.

또 대답 못 하고 있자, 예린이 내 팔짱을 꼈다. 또, 또, 졌다. 못 이기는 척 예린이 걷는 방향으로 함께 걸었다.

소식통 주예린 씨의 정보는 정확했다. 진짜 선착순으로 인원을 보충해서 나와 예린은 얼떨결에 방송부원이 되었다. 물론, 방송실을 청소하거나 일지를 정리하고 원고를 복사하는 일 따위를 했지만 나쁘지 않았다. 게다가 정로아와 함께하는 건 꽤 괜찮기까지 했다. 존재만으로도 반짝거려서 주변까지 환해졌다. 주예린 씨의 표현을 빌리자면 "이젠 외계인이 쳐들어와 학교 못 가게 할까 두려운 날들"이 이어졌다.

그 사건이 있기 전까진.

'네네시' 프로그램 회의 날이었다. '일주일에 한 번씩, 한 달에 네 번, 같은 시를 들으면 너의 시가 된다'라는 시 소개 코너였다. 학교의 자랑이 될 만큼 방송부의 대표 코너였다. 예린은 이 코너가 정로아의 아이디어로 시작되었다는 걸 안 순간부터 팬이 되었다고 했다. 그리고 네네시 회의를 기다렸다며, 예린은 사랑에 빠진 표정을 지었다. 예린의 사랑은 참 쉬웠다.

들뜬 예린 덕분에 나는 좀 이른 회의 준비를 하게 되었다. 1학년도 있지만 방송부 기술 훈련이 되어 있지 않은 우리가 잡무를 하는 건 당연했다. 사실 난 청소나 자료 정리를 하며 이렇게 지내는 것도 괜찮았다. 무언가를 맡아서 하는 건 좀 부담스러웠다.

하지만 주예린 씨는 달랐다. 적극적인 참여를 원했다. 오늘 회의만 해도 그랬다. 들어온 지 보름쯤 지난 우리에게 발언권을 주진 않을 것 같다면서도 열심이었다. 좋은 시를 뽑고 싶다며 학원도 빼먹고 도서실에 있는 시집을 샅샅이 읽었다. 싫증을 자주 내던 주예린 씨였기에 이런 모습은 의외였다. 마음에 꼭 드는 시를 찾아냈다고 폴짝 뛰는 모습은 귀엽기까지 했다.

생각해 보면, 예린은 늘 열정적이었다. 그 열정이 종종 멋있고, 가끔은 피곤했다. 하지만 다른 친구를 찾는 게 더 귀찮았다. 뭐, 함께하면 지루하지 않다는 장점도 있긴 했다. 아니, 지루할 틈이 없다고 말하는 것이 맞는다. 어젯밤에도 회의 때 자기가 골라 온 시를 발표하겠다며 낭독 모습을 봐 달라고 못살게 굴었다. 아파트 놀이터에서 한 시간이나 잡혀 있었다.

"나의 시를 좋아해 주셔야 할 텐데 말이지. 이번에 안 뽑히더라도 '얘는 시를 참 사랑하는구나.' 하고 느껴 주셨으면 좋겠어!"

주예린 씨는 고작 한 살 많은 중3 정로아를 향해 극존칭을 써 가며 들떠 있었다. 탁자에 펜과 종이를 올려놓는 예린의 손길이 팔랑팔랑 가벼웠다. 그 손이 나비 날개 같아 보였다. 문득, 좋아하는 걸 하면 저리 가볍게 행복한 건가 싶어 부러웠다. 아니, 부러워질 뻔했다.

좋아하는 것이 생긴다는 건 귀찮아지는 거다. 시간도 써야 하고, 마음도 쏟아야 하고, 돈까지 필요해진다.

며칠 전 엄마가 내게 뭘 좋아하냐고 물었었다. 회사 일로 바빠서 오랜만에 마주 앉은 저녁 식탁이었다. 딱히 생각나지 않았지만, 간만의 대화라 뭐라도 말하고 싶어 그림이라고 말해 버렸다.

"그림? 미술이 좋아?"

낮에 학교에서 예린과 고양이 캐릭터를 그렸는데 재미있었다고, 내가 더 잘 그렸다고 자랑하려는데, 엄마가 “미술 학원 가 볼래?”라고 말문을 막아 버렸다. “미술 학원은 많이 비싼가?”라는 말도 덧붙여서. 엄만 바로 웃었지만, 난 잠시 내렸던 엄마의 어둠을 읽어 버렸다.

그저 대화가 하고 싶었는데, 아무거나 말해 버린 나 때문에 엄마의 걱정이 늘었다. 혼자서 나 키우느라 고생하는 엄마에게 난 오답투성이다.

갑자기 명치끝이 답답해졌다. 뭐라도 내뱉지 않으면 숨이 막힐 것 같았다.

“그게 어떻게 주예린 씨 시야? 창작물 빼앗긴 시인님들 극대노하시겠네!”

그럴 생각이 아니었는데 불퉁하게 말이 나갔다. 예린이 하던 일을 멈췄다. 아차 싶었지만, 이미 뱉은 말을 어쩔 수 없었다. 어쩌지 싶었는데, 나를 보려 돌아선 예린은 뜻밖에도 웃고 있었다.

“시는 독자 거야!”

‘뭐지? 왜 웃는 거지?’

다행이어야 하는데 기분이 이상했다. 갑자기 자신만만한 예린이 미웠다. 난 늘 조심하는데도 오답이고, 예린은 마음대로 하는데도 정답 같았다.

"뭐래! 뽑히지도 않을 시를 고르다가 미친 거 아냐?"

이번엔 내가 생각해도 심했다. 예린의 표정도 변했다. 하지만 이번에도 예상과 달랐다. 평소의 주예린 씨 성격이라면 벌컥 화를 냈어야 했다. 그런데 화는커녕 조용해졌다. 다만 눈이 커졌고 눈동자가 흔들렸다. 맞다, 저건 슬픈 거다. 저 표정 이후에는 운다. 아빠가 떠난 후 우리 엄마가 그랬다.

이럴 땐 빠르게 사과해야 한다. 그럼 괜찮아진다. 하지만 하지 못했다. 기회를 빼앗겼다.

"맞지. 그건 시인들의 시지, 어떻게 후배님 시야?"

단정하게 교복을 차려입은 정로아였다. 파일철을 가슴에 안고 방송실 안으로 들어왔다. 머리에 꽃이 한가득 핀, 행복한 얼굴이 그려진 파일철이 화사했다. 오늘은 닮아 보이기까지 했다. 예린은 정로아의 얼굴을 보더니 눈이 더 커졌다. 금방이라도 눈물이 톡 떨어질 것 같았다. 이번에야말로 내가 나서야 했다.

"아니, 주예린 씨의 말은 그게 아니라요."

"주예린 씨? 친구끼리 그리 불러? 재미있네! 설마 나도 정로아 씨로 불리나?"

상황을 정리하고 싶었지만, 또 오답을 말해 버렸다.

"아니, 그냥 정로아. 네? 아니, 그게 아니라……."

"그냥 정로아?"

정로아가 미간을 찡그리자, 커다랗고 동그란 눈이 타원으로 변했다. 기분이 상한 듯 보였지만, 그런 표정마저 무해했다. 이래서 다들 좋아하는구나 싶었지만, 지금 내게 필요한 건 감탄이 아니었다.

"그, 그러니까 예린이는 아니고 저만요. 그게 제 버릇인데요."

더듬거리며 말을 이어 가려 했지만, 청학중 여신은 만만치 않았다.

"방송부 문 닫는 버릇은 없었나 봐! 중요 장비 때문에 항상 닫고 있어야 하는데!"

아차, 그렇지! 내가 안 닫았다. 어떤 말부터 해야 하나 말머리를 고르고 있는데, 다른 부원들이 우르르 들어왔다.

아니, 이대로 말이 끊기면 안 된다. 예린이 얼마나 열심히 했는지 말해 줘야 하는데 정로아는 이미 나에게 관심을 잃은 것 같았다. 아무 일 없었다는 듯 한가운데 의자에 앉았다.

옆에서 예린이 작게 한숨을 내쉬었다. 그리고 얼굴이 붉어진 채로 걸어가 나의 대각선 반대편 구석에 앉았다. 차마 쫓아가지 못했다. 난 바로 앞에 있던 빈자리에 앉아 버렸다.

회의가 시작되자마자 정로아는 가져온 파일철에서 종이를 꺼내 나눠 줬다. 이달의 시와 간단한 대본이 인쇄되어 있었다.

"4월의 시는 유병록 시인의 〈완력〉이야. 다들 괜찮지?"

다들 읽지도 않고 고개부터 끄덕였다. '괜찮다고? 이게 된다고?' 좀 놀랐다. 대표 코너의 회의가 이렇게 쉽게 결정되다니 좀 이상했다. 보름 동안 내가 본 방송부는 시도 때도 없이 싸웠다. 고작 한 줄짜리 아침 인사 문구를 놓고도 치열했다.

어리둥절해진 나는 두리번거리다 대각선 맞은편에 앉은 예린과 눈이 마주쳤다. 잠시 벌어졌던 예린의 입이 다시 닫혔다. 그러곤 손에 쥔 종이를 작게 접었다. 며칠 밤을 새워 준비한 말도 함께 접는 것 같았다.

순간, 무슨 용기가 생겼는지 모르겠다. 주예린 씨의 눈이 잠시 빛나서 그런 건지도.

"근데 이 시……."

목소리 크기 조절 실패. 모든 눈이 내게 쏠렸다. '망했다'란 글자가 머릿속을 떠다니기 시작했다.

"이 시? 왜 마음에 안 들어?"

정로아가 일어나 내게로 다가왔다.

"아니, 그게 그러니까 그게……."

나는 예린을 쳐다보았다. 예린이 당혹스러운 표정으로 고개를 숙였다. 이젠 믿을 곳이 없었다.

"너무……."

"너무?"

정로아의 말이 숨결처럼 닿았다. 절박해졌다. 뭐라도 찾아야 한다. 급히 손에 쥐고 있던 정로아의 프린트물을 읽었다. 그런데 어, 이 시, 나 안다. 읽어 보았던 시다.

"너무 무서워요! 누가 뚝뚝 부러지는 손가락을 보고 꽃잎을 떠올려요."

에라, 모르겠다 싶었다. 처음 읽었었던 그때의 느낌을 가감 없이 말했다. 정로아의 표정이 변했다. 내가 이름을 불렀을 땐 세로로 길어졌던 눈이 이번엔 가로로 길어졌다.

숨 막히는 정적이 흘렀다. 하지만 그것도 잠시, 여기저기서 수군거렸다. "그건 그래."라는 말도 들리는 것 같았다.

하지만 금세 정로아의 입꼬리가 올라갔다. 작게 콧소리도 났다. 이런 걸 코웃음이라고 하는 건가? 왜 웃지? 뭐지? 나 또 틀린 건가? 순식간에 많은 생각이 흘렀다. 생각이 입 밖으로 터져 나올 때쯤 정로아가 말문을 열었다.

"맞아! 이 시 무서워. 그래서 더 골랐어! 밑에 덧붙이는 말도 좀 봐 줄래?"

"봐 줄래?" 할 때 정로아는 뱅그르르 돌아 다른 부원들을 바라봤다. 우아한 행동은 여전했다. 순간 또 반할 뻔했지만, 지금은 시에 집중할 때였다.

"나도 무섭다고 썼어. 그러나 모든 아름다움은……."

"구부리지 못한 시간까지 품어야 한다. 어? 이 글 제 건데!"

정로아의 말을 내가 또 끊었다. 오늘따라 필터링이 없는 내 입이었다. 오답 대행진!

"뭐라고?"

이번 정로아의 표정은 아까의 예린과 비슷했다. 당황스러움과 놀라움이 엉킨 얼굴로 나를 바라보았다.

우리 대화를 듣던 방송부 부장이 끼어들었다.

"그게 무슨 소리야? 매번 로아가 직접 써서 가져오는데! 로아, 네가 말해 봐. 이게 무슨 소리야?"

이제 모든 시선이 나에게서 떠나 있었다. 정로아는 윗입술과 아랫입술을 잠시 말아 물더니 나를 쏘아보았다.

"글이 네 것이라는 증거 있어?"

"네?"

"아니, 감상이 비슷하다고 다 네 것이라고 하면 안 되지."

그런 것도 같다. 그때 예린이 내 글은 "중2병 같다."라고 했으니 정로아가 맞을 거다.

"그래도 비슷하다니 내가 너무 평범하게 썼나 보다. 다 내 잘못이네."

내 잘못이라 말하며 정로아는 또 팽그르르 돌았다. 플레어스커트가 작은 원을 그렸다. 작은 원에 마법이라도 걸려 있었는지, 그 뒤의 회의 내용은 기억에 없다. 아니, 그게 왜 로아 잘못이야. 3학년인데도 자기가 만든 코너라고 이리 열심히 하다니. 역시 모범적이다. 이번 시도 너무 좋다는 말들이 내 어깨에 잠시 앉았다가 먼지처럼 사라졌다.

정신을 차려 보니 텅 빈 회의실에 혼자였다. 예린도 집에 갔는지 없었다. 꿈이라도 꾼 것 같았다. 그렇다기엔, 정로아가 남기고 간 프린트물이 내 손에 들려 있었다.

안녕하세요. 네네시의 정로아입니다.

오늘 만나 볼 4월의 행복한 시 읽기는 유병록 시인의 〈완력〉입니다.

시가 늘 아름다운 것은 아닙니다. 오늘 낭독해 드릴 시는 아프다 못해 무섭기까지 합니다. 그러나 가만 생각하면 자연의 이치도 그런 것 같습니다. 아름다운 꽃조차 죽음 같은 겨울의 언 땅을 뚫고 올라와야 빛을 볼 수 있으니까요.

모든 아름다움은 '구부리지 못한' 시간까지 품을 때 완성되는 것 같습니다.

4월은 잔인한 달이라고도 합니다. 아마도 무언가 시작될 때의 두려움을 표현한 것이겠지요?

하지만 계절의 여왕 5월을 맞이하기 위해선 잔인한 4월도 통과해야 합니다.

제가 전해 드리는 시가 두려움을 견딜 작은 완력이 되길 빌어 봅니다.

그럼, 지금부터 시를 낭독해 드리겠습니다.

인쇄된 글과 시를 눈으로 천천히 읽었다. 뚜렷하고 솔직한 감상들이 마음에 닿았다. 특히 두려움을 이겨야 다음을 맞이할 수 있다는 말이 참 좋았다. 글은 완벽했다.

그래, 내가 착각한 거다. 이렇게 멋있는 생각을 나 따위가 할 리가 없었다. 같은 시를 읽고 비슷한 생각을 얼마나 많이 하겠는가. 더군다나 그땐 주예린 씨랑 도서실에서 킥킥대던 참이었다. 늘 그렇듯 또 내 잘못이다.

마음이 닿으니, 시도 좋아졌다. 특히 "땅에 묻힌 자가 팔을 내밀듯"이란 부분부터는 소리 내어 읽었다. 지금의 내 마음 같았다.

텅 빈 방송실에 내 목소리가 울렸다.

큰 소리로 시를 읽은 건 처음이었다. 방송실 효과일까? 평소 낮아서 듣기 싫었던 내 목소리도 제법 괜찮게 들렸다. 예린에게 사과할 용기가 솟았다. 예린을 찾으러 자리에서 일어나려던 참이었다.

"오, 목소리 쓸 만한데? 가방 놓고 가길 잘했네. 귀한 목소리도 듣고."

돌아보니 방송부 부장이었다. 옆엔 정로아도 함께였다.

"로아, 넌 어떻게 생각해? 이번 시는 저 목소리도 괜찮을 거 같은데?"

"난 좀 무거운 거 같은데? 발음도 뭉개지고."

"그래? 네 목소리는 맑긴 해도 좀 가볍잖아. 발음은 네가 가르치면 되고."

부장과 정로아는 거침없이 말을 주고받았다. 나에게 눈을 떼지 않고 내 이야기를 하면서도 나와의 대화는 아닌, 좀…… 그래, 물건이 된 기분이었다.

"저기……."

겨우 용기 낸 내 목소리를 묻어 버린 건 정로아였다. 부장이 "너 때문에."란 말을 꺼내자마자 정로아는 두 손을 들었다.

"알았어! 내가 따로 과외해 볼게. 해 보지 뭐."

정로아는 급히 부장의 덧붙이는 말을 막았다. 내 의중은 묻지도 않았다. 대답은 부드럽게 했지만, 휙 돌아서 교복 치마가 파도치듯 너울거렸다. 그러고는 빨리 따라오라며 방송실 문 쪽으로 걸었다.

'정로아가 나를 가르친다고? 그것도 따로?'

얼굴이 달아올랐다. 싫다고 말하려던 참이었는데, 입이 떨어지지 않았다. 그때 예린의 얼굴이 떠올랐다. 그래, 단둘이 따로 있게 되면, 예린을 추천하는 거다. 그게 좋겠단 생각이 들었다.

'어휴, 주예린 씨는 나한테 고마워해야 한다니까!'

한결 편안해진 마음으로 가방을 챙겨 따라나서려는데, 앞서가던 정로아가 문 앞에서 잠시 멈칫했다.

"좀 비켜 줄래? 고마워."

누가 있었는지 예의 있게 인사를 건넸다. 정로아는 방송실 문을 나서며 특별 과외를 하게 되어 즐겁다는 둥 조금 아까와는 다른 분위기를 보였다. 대충 대답하며 문을 나서다가 얼어붙었다.

방송실 문 앞엔 살짝 비켜선 예린이 있었다.

"어?"

내가 말을 꺼내려 하자 예린은 그대로 돌아서 가 버렸다. 걸을 때마다 높게 올려 묶은 예린의 포니테일이 양쪽으로 흔들렸다. 내가 머뭇거리자 앞서가던 정로아가 나를 불렀다.

"뭐 해? 빨리 와! 회의하고 떡볶이 먹으러 가자!"

왼쪽에서는 정로아가 손짓했고, 오른쪽에서는 예린이 사라지고 있었다. 처음엔 당연히 예린에게 가려고 했다. 하지만 지금 쫓아가면 무척 피곤하겠단 생각도 동시에 들었다. 게다가 정로아가 눈앞에서 화사하게 웃고 있었다. 입학식 그날처럼.

"오해를 잘 풀고 와서 이따가 말하자."

누구한테인지도 모를 다짐을 내뱉고 정로아 쪽으로 걸었다.

로아 선배는 걸으며 쉼 없이 말했다. 내게 운이 좋다며 미소 지었다. 일대일 지도는 잘 하지 않는다면서 특별 대우라며 까르르 웃기도 했다. 어디가 웃긴 포인트인지 모르겠지만, 다 괜찮았다. 환하게 웃는 로아 선배와 복도를 지나가자, 아이들이 힐끔힐끔 쳐다보며 길을 터 주었다. 처음이었다. 아이들이 부러운 눈빛으로 나를 본 건. 어색했지만, 짜릿하고 아찔했다.

로아 선배는 이런 상황이 꽤 익숙한지 복도를 런웨이 걷듯 자기만의 공간으로 사용했다. 시원하고 자연스럽게 성큼성큼 걸으며 질문들을 늘어놓았다. 하지만 대답할 시간은 주지 않았다. 처음부터 대답이 듣고 싶어 꺼낸 말은 아닌 것 같았다. 그러나 상관없었다. 이 복도가 좀 더 길었으면 싶단 생각만 들었다.

복도 끝에 다다르자, 선배는 걸음을 멈춰 끝에 있는 교실 문을 드르륵 열었다.

"여긴 학생회 회의실 아니에요?"

"응, 그게 왜?"

"아니, 그게 아니라……."

"뭐가 문제인데? 내가 학생회장이니, 내 방이지 뭐!"

선배는 머뭇거리는 나를 가볍게 밀어 들여보내고 뒤따라 들어왔다. 안에는 이미 학생회 임원 몇몇이 회의를 하고 있었다. 그들은 노크도 없이 들어온 나를 보고 인상을 찌푸렸다. 입을 떼려다 뒤에 선 로아 선배를 보더니 금방 표정이 바뀌었다.

"나 삼십 분만!"이라고 말하는 선배에게 급하게 웃음을 짓는 바람에 얼굴들이 일그러졌다. 무슨 일이냐고 묻지도 않고 주섬주섬 노트들을 챙겨서 나갔다. 회의실이 텅 비자, 선배는 자연스럽게 탁자 한가운데 의자를 빼서 앉았다. 나도 쭈뼛쭈뼛 다가가 선배 맞은편에 앉았다. 의자에는 방금까지 앉아 있던 누군가의 체온이 남아 있었다.

살짝 어색한 침묵이 흘렀다. 여태 쉼 없이 떠들더니 단둘이 있으니 조용했다. 너무 어색해서 아무 곳에나 시선을 두었다. 선배는 그런 나를 바라보기만 했다. 심장이 뛰었다. 이렇게 불편한 시선은 처음이었다. 마치 눈으로 CT 스캔을 당하는 것 같았다.

나는 심한 두통으로 종종 입원했었다. 다양한 검사를 받았는데, 그중 하나가 CT 스캔이었다. 뇌의 구조를 자세히 볼 수 있는 검사로 출혈, 종양, 뇌졸중 등을 확인하기 위해서였다. 다행히 아무런 문제도 발견되지 않았지만, 불행히도 내 두통은 답을 찾지 못했다.

그때 기억이 떠올라 속이 울렁거렸다. 왜 그리 쳐다보냐고 말하려던 찰나, 선배가 먼저 일어났다. 노트와 볼펜을 가져오더니 무언가를 쓰기 시작했다. 말할 타이밍을 또 놓친 나는 그저 멍하게 바라보았다. 로아 선배는 대뜸 자기가 쓴 글을 내게 읽어 보라고 했다.

김연아 선수가 피겨 스케이팅 대회에서 훌륭한 연기를 선보이며 인상적인 성과를 거두었습니다.

선배의 눈빛에 압도당해 영문도 모른 채 읽기 시작했다. 적막 속에서 울리는 내 목소리가 낯설었다. 점점 소리가 줄어들고 읽기도 틀려 버벅댔다. '스케이팅'은 '스파게티'로 읽고, '인상적'은 '안정적'으로 잘못 읽어 두 번 읽고 나니 손에 땀까지 났다. 겨우 한 줄 읽었는데, 온종일 걸린 것 같았다. 선배는 노트에 무언가를 적기 시작했다. 한참을 적더니 차갑게 말했다.

"그럴 줄 알았어. 기본기가 전혀 없네!"

건조하고 딱딱한 말투에 온몸이 조각나는 것 같았다. 당연했다. 뉴스에서 듣기만 했었지, 내가 발음할 일이 없는 문장이었다. 갑자기 좀 억울했다. 뭐라고 변명이라도 해야겠다 싶어서 입술을 달싹거리는데 로아 선배가 먼저 말을 꺼냈다.

"이거 가져가!"

"네?"

"너의 오답 노트야! 거기에 매일 너의 단점을 적어 줄게. 보면서 고쳐!"

선배가 늘 들고 다니는 파일철과 같은 모양의 노트였다. 일단 오늘은 간단하게 적었다며 펼쳐 줬다.

장점이 전혀 없음.

1. 발음 부정확

2. 음성의 힘 부족

3. 낮은 전달력
4. 주눅 든 표정
5. 시선 처리 불안정함.
6. 말 속도 무척 느림.

고작 한 문장 읽었는데 생각보다 가혹한 평가였다. “어쩜 이렇게까지 형편없니.”라고 읽혔다.

“오늘은 여기까지 하자. 아, 근데 너 이름이 뭐지?”

문득 조금 허탈했다. 선배는 내 이름도 모르는데, 같이 걷는다고 우쭐했구나 싶었다. 상상 속에서 갑자기 현실로 돌아온 것 같았다.

“지인이요.”

부러 성을 떼고 대답했다. 친근하게 지인이라고 불러 주길 바랐다. 하지만 로아 선배는 내 명찰을 흘끔 쳐다봤다. 어차피 명찰을 볼 거면서 왜 물었을까, 기분이 상했다.

“오지인? 오진? 재미있는 이름이네. 오답이랑 어울려!”

선배는 표지에 크게 오답, 오진이라고 적었다. 쓰면서 뭐가 그리 재미있는지 입꼬리가 한쪽만 올라갔다. 그동안 보던 환한 미소와 너무도 달랐다.

얼굴이 달아올랐다. 오진. 들을 때마다 어지럽다. 병원도 가 봤는데, 이상이 없었다. 그럴 리가 없었다. 이렇게 어지러운데. 병원은 역시 오진투성이다.

6년 전에도 그랬다. 아빠가 자주 어지럽다고 하셨지만, 병원에서 괜찮다니 괜찮다고 하셨다. 엄마와 내가 걱정을 심하게 하는데도, 병원의 말을 더 믿으셨다. 그날도 어지럽다고 좀 누워 있다가 우리 딸 생일인데 케이크는 있어야 하지 않겠냐며 나가셨다.

하지만 아빠도 케이크도 오지 않았다. 대신 병원에서 연락이 왔다.

길에 쓰러진 지 한참 만에 발견되어 마지막 인사도 못 했다. 오진이었다. CT 스캔을 잘못 봐서 시기를 놓쳤다고. 많은 말이 오고 갔지만, 내 귀엔 오지인이라고 들렸다.

'나 때문인가 봐.' 온통 그 생각밖에 없었다. 너무 놀라 울지도 못했다. 그런 나를 보고 고모할머니는 아이가 모질다고 했다. 엄마는 어린아이가 뭘 알겠냐고 감싸 줬다. 하지만 고모할머니도 엄마도 틀렸다.

어려서가 아니라 난 무서웠다. 그런 나를 안아 준 사람이 예린이었다. 작은 품이지만 안기자 그제야 눈물이 났다. 예린을 안고 엉엉 울었다. 내가 울자, 예린도 울었다. 둘이 서럽게 울자, 고모할머니는 애가 뭘 안다고 저리 서럽게 우냐며 혀를 찼다. 뭘 해도 고모할머니에겐 내가 오답이었을 날이었다.

나중에야 들었는데, 예린의 엄마는 장례식장에 아이를 데리고 오고 싶지 않았지만, 예린이 떼를 썼다고 했다. 알고 보니, 그 주 숙제가 마니토 안아 주기였다나. 그저 예쁜 선생님에게 칭찬받고 싶었던 주예린 씨였지만, 그날, 날 구했다.

그쯤 되니, 정신이 차려졌다. 내가 있을 곳은 여기가 아니었다. 아까 예린을 쫓아갔어야 했다. 예린을 위해서라고 나를 속였지만, 사실 내 욕심에 여기 있었던 거다. 오답은 그거였다.

“저, 선배님. 제가 사실은…….”

드르륵.

문이 열리고 학생회 아이들 여럿이 들어왔다.

“회장, 아직 멀었어? 우리도 이제 회의해야지!”

“이제 끝났어! 지인아, 오늘은 여기까지 해야겠다. 내가 바빠서 미안.”

또다시 화사한 로아 선배로 돌아와 있었다. 밀고 들어오는 학생회 임원들 때문에 버틸 수도 없었다. 하지 못한 말을 남긴 채 가방을 챙겨 일어났다. 교실 문을 나서려는데 로아 선배가 불러 세웠다.

"이거 가져가야지! 우리 내일 보자."

오답 노트였다. 보드라운 손으로 내 손목을 잡고 노트를 손에 쥐여 주었다. 어깨를 살짝 밀어 나를 내보내곤 교실 문을 닫았다.

닫힌 문 앞에 잠시 멍하니 서 있었다. 안에서 시끌벅적 웃음소리가 들렸다. 갑자기 두 뺨이 화끈 달아올랐다. 나는 노트를 가방에 구겨 넣고 복도를 달리기 시작했다.

뛰지 말라는 선생님의 목소리를 들은 것도 같다. 상관없었다. 심장이 터질 것 같았다. 이대로 터지는 것도 괜찮겠다 싶어 속도를 높였다. 학교를 나와 집까지 달린 것도 모자라 6층을 계단으로 뛰어올랐다. 아쉽게도 심장은 터지지 않았다.

현관문을 열었다. 낮이어도 불 꺼진 거실은 서늘하게 어두웠다. 나는 책상 위에 가방을 던져 버리고 침대에는 몸을 던졌다. 날뛰던 심장이 가라앉았다. 천천히 잠에 빠져들었다.

"아니, 학원도 안 가고……."

엄마 목소리였다. 몸을 일으키려 했지만, 몸은커녕 눈도 뜰 수가 없었다. 이렇게 된 거 그대로 더 자고 싶었다. 하지만 엄마의 말에 반사적으로 몸이 튀어 올랐다.

"오답, 오진, 주눅 든 표정, 시선 처리 불안정?"

나는 거칠게 엄마 손에서 오답 노트를 잡아챘다. 급하게 빼앗느라 표지가 쭈욱 찢어졌다.

“아니, 나는 가방에서 텀블러를 꺼내려다가…….”

“왜 남의 가방을 뒤지고 그래!”

자느라 잠긴 목소리가 갈라져서 나왔다. 내가 들어도 사나웠다. 엄마의 눈동자가 심하게 흔들렸다. 또 어지러웠다. 누군가 내 뇌를 팽이 치듯 돌리고 있는 것 같았다.

“그런데 지인아, 오답 그게 뭐야? 네가 왜…….”

“뭘 왜야! 나 원래 오답, 오진이잖아! 몰랐어? 도대체 나에 대해서 아는 게 뭐야?”

머릿속이 뒤엉켜 무슨 말이 튀어나오는지도 몰랐다.

“난 태어난 날부터 틀렸잖아! 하필 그날 날 낳아서 아빠를 밖에 내보냈냐고!”

엄마는 숨도 멈춘 것 같았다. 입도 못 다물고 나를 쳐다보는 엄마를 뒤로하고, 그대로 집을 빠져나왔다. 누군가를 마주치는 것도 싫어 계단으로 뛰어 내려갔다.

‘왜 그런 말이 튀어나온 건데. 아빠 없이 나 키우느라 고생하는 엄마잖아. 이렇게 나쁜 딸이 어디 있어? 이러다가 엄마까지 머리 아파서 사라지면 어쩔 건데!’

이번엔 내가 나에게 악을 쓰고 있었다.

센서 등보다 빠르게 내려가는 바람에 마지막 계단을 못 봤다. 헛디뎌 무릎이 꺾였다. 바닥에 넘어져 세게 부딪쳤다. 아팠지만, 상관없었다. 온통 엉망이었다.

있는 대로 악을 쓰며 나와 놓고, 딱히 갈 곳도 없었다. 스마트폰도 지갑도 두고 나왔고, 손엔 표지가 반쯤 찢어진 오답 노트뿐이었다.

봄이라지만 3월의 밤은 아직 쌀쌀했다. 아무리 떠올려도 딱히 갈 곳이 마땅치 않았다. 평소라면 예린의 집으로 갔을 테지만, 그럴 수 없었다. 낮에 본 상처받은 예린의 눈동자가 떠올랐다.

"그네나 타다 들어갈까?"

하지만 슬리퍼를 질질 끌고 도착한 놀이터 그네에는 이미 누군가 있었다. 그네에 앉아 있다가 갈 생각이었는데, 틀렸다. 혼자 있고 싶어 발길을 돌리다가 뭔가 이상해 다시 고개를 돌렸다.

밤에도 선명하게 빛나는 연두색 줄을 보니, 분명 우리 학교 체육복이었다. 짙은 남색까진 괜찮은데, 팔과 다리 부분의 형광 연두색 줄 때문에 창피했다. 이 정도는 자퇴나 전학 사유라며 농담할 정도로 부끄러워들 했지만, 예린과 나는 편해서 매일 입고 다녔다.

그러므로 이 시간에 우리 아파트 놀이터에 저 형광 연두 줄 체육복을 입고 있을 사람은 딱 한 명이다. 특히 그네에 구부정하게 걸터앉은 청학 여중생이라면 예린을 떠올릴 수밖에 없다. 너무 반가워 달려가려다 멈칫했다. 외면받을까 무서웠다.

잠시 고민하다가 마음을 다졌다. 생각해 보면 외면은 내가 먼저였다. 예린을 변명해 주겠다던 건 핑계였다. 함께 복도를 걸으면서 으쓱했던 자신을 떠올렸다. 정로아와 함께 있는 걸 즐긴 거다. 예린의 상처받은 눈빛을 봤으면서도 외면했던 건 나였다.

몇 번을 밀어 내도 다가갈 거다. 결정하고 나니 마음이 편안해졌다. 포기할 수 없는 것이 생기니 용기가 솟았다.

"예린아!"

구부정하게 앉은 여중생이 고개를 들었다. 내 얼굴을 확인하더니 다시 고개를 푹 숙였다.

"예린아, 그게 있잖아, 정말 미안해."

어디서부터 시작해야 할지 몰라서 일단 사과부터 했다. 미안하다고 말하고 나니 속이 좀 후련했다.

"일단 미쳤다고 한 거부터 사과할게. 뭐든지 좋아하고, 열심히 하는 네가 부러웠나 봐. 내가 만나고 싶다니까, 외계인 언어도 배우겠다던 너였는데 내가 미쳤었나 봐. 제발 나 좀 용서해 주라.

외계인도 쳐들어오지 않는 지루한 지구에서 너 없이 잘 살 자신이 없어.”

그네가 살짝 흔들렸다. 우는 것 같았다. 여우 같은 정로아에게 홀려서 이 착한 예린을 버렸다. 역시 난 오답이었다. 가슴 한쪽이 꽉 막힌 것처럼 아팠다. 눈물이 나오려는 걸 한 번 꾹 삼키고 말을 이었다. 잠긴 목소리가 내가 듣기에도 싫었지만, 그래도 지금 사과하고 싶었다.

“너 혼자 두고 정로아에게 가서 미안해. 네 이야기 해 주려고 간 건데…….”

“…….”

“응? 뭐라고?”

“그래서 내 이야기 했냐고?”

“그게 사람들이 들어와서…….”

“아, 도저히 못 참겠다!”

예린이 번쩍 고개를 들었다. 웃고 있었다. 무슨 영문인지 몰라 어리둥절한 나를 보며 예린은 눈물까지 찍어 내면서 웃었다.

“야, 야, 너 뭐야! 우는 줄 알았잖아.”

“아이고, 배꼽이야! 아, 진짜 내가 너 다신 안 보려고 그랬는데, 웃겨서 참을 수가 있어야지. 무슨 사과를 외계인 이야기로 해!”

그네가 흔들리도록 웃는 예린을 보자마자 꽉 막혔던 가슴이 뻥 뚫렸다. 팽팽 돌던 머리도 괜찮아졌다. 대신 얼굴과 눈이 뜨거워졌다.

"찐! 너 왜 울어?"

"몰라! 막 눈물이 나와!"

선 채로 엉엉 울자, 예린이 일어나서 안아 주었다. 그때처럼.

"어휴, 이제 나보다 커서 안아 주기도 힘들구먼. 왜 자꾸 울어!"

"다행이다. 정말 정말 다행이다."

똑같은 말이 계속 입에서 나왔다.

한참을 울고 나서 그네에 나란히 앉았다. 그리고 오늘 낮부터 지금까지 있었던 일들을 털어놓았다. 예린은 정로아의 오답 노트를 보고 한참이나 격분했다. 네가 무슨 시험 문제냐고, 사람을 두고 어떻게 오답 노트 같은 걸 쓸 수 있냐고 소리 질렀다.

"찐! 이거 찢어 버려! 정답으로 가는 방법을 적어 놓는 게 오답 노트야! 이건 채점이고, 비난이야! 이딴 게 무슨 오답 노트야!"

"와! 정말 고마워. 나 진짜 이거 보고 무서웠어. 내가 정말 이렇게까지 형편없나 하고."

거짓말이 아니었다. 노트를 본 순간 다시는 누군가와 대화를 못 하겠단 생각까지 들었었다. 생각해 보니 그동안 자주 할 말을 참았고, 그러다가 한 번씩 쓰나미처럼 터지곤 했었다. 아까 엄마한테처럼. 하지만 말을 아낀다고 생각했지, 못 한다고는 생각 안 해 봤다가 호되게 당했다.

"근데 찐! 이번 달 네네시! 네가 그때 그 시 읽고 쓴 글과 너무 비슷해."

예린이 다시 말을 이었다.

"주예린 씨, 그게 기억이 나?"

"그럼! 네가 뭔가를 하고 뿌듯해하는 표정 처음이었거든."

"그땐 유치하다고 놀렸잖아."

"아이고, 바보야! 넌 칭찬받으면 더 숨으니까 그렇지!"

역시 오지인을 나보다 더 잘 아는 '오잘알' 주예린 씨였다. 코끝이 시큰해졌다.

"근데 찐, 너 내일 어쩔 거야? 일대일 지도 또 받을 거야?"

"아니! 나 내일 가서 안 한다고 당당하게 말할 거야. 방송부도 안 할래!"

"그러자! 찐이 안 하면 나도 안 할래!"

고맙다고 말하려는데, 갑자기 예린이 벌떡 일어났다. 내가 쓴 글이 어떻게 정로아 손에 들어간 건지 알아보겠다며 눈을 반짝였다.

"주예린 씨, 어째 또 신난 거 같은데요?"

"몰랐어? 내 꿈이 탐정이잖아!"

"시인이나 아나운서가 아니고?"

"응. 그건 두 번째 꿈이야!"

너무나 주예린 씨다워서 웃음이 나왔다. 함께 웃을 수 있어서 다행이었다.

예린과 실컷 떠들다 집으로 돌아왔다. 거실 불은 그대로였지만, 집 안이 조용했다. 엄마에게도 사과하고 싶었는데 집에 안 계셨다.

식탁에는 내가 가장 좋아하는 엄마표 김치볶음밥이 차려져 있었고, 쪽지가 놓여 있었다.

엄마 급한 일이 생겨서 회사 다녀올게. 먼저 자! 미안해.
딸! 너에 대해 많이 몰라서 그것도 많이 미안.
그렇지만 중2 너무 어렵단 말이야. 힌트 좀 주라.
그리고 지인아.
엄마에게 넌 늘 정답이야. 단 한 번도 오답인 적이 없었어.
그래서 네 생일은 엄마와 아빠의 축제일이었단다. 앞으로도 그렇고.
많이 사랑해!

- 엄마가

시계를 보니 11시였다. 이 시간까지 일하는 엄마에게 내가 무슨 짓을 한 건지 너무 미안했다.

나도 내가 왜 이러는지 모르겠는데, 엄마가 나를 어떻게 알 수 있겠는가.

눈이 뜨거워지려 했지만, 아까 실컷 울어 남은 눈물이 없었다. 대신 사과는 꼭 해야겠다고 다짐했다. 막상 해 보니, 사과는 나를 위해서 하는 거였다. 후련해지기도 하지만, 다시 같은 실수를 안 하겠다는 다짐이었다.

하지만 결국 엄마를 못 만났다. 새벽까지 기다리다가 잠들어 버렸고, 잠에서 깼을 땐 아침이 차려진 식탁과 맛있게 먹고 힘내라는 엄마의 쪽지만 발견했다. 일이 안 끝났을 텐데 나 때문에 일부러 들어와 밥해 놓고 다시 나간 엄마의 마음이 느껴졌다.

아직 온기가 남은 반찬과 밥을 꼭꼭 씹어 먹었다. 오늘은 엄마의 사랑이 필요했다. 청학중 여신 정로아를 쳐다보며 또박또박 말하려면 엄마의 사랑으로 용기를 내야 했다.

수업을 어떻게 했는지도 모르겠다. 정로아에게 할 말만 계속 정리하며 오전 시간을 보냈다. 수업이 끝나면 예린과 함께 방송부에 가기로 했다. 사실, 나는 조용히 방송부 탈퇴만 하자고 제안

했었다. 하지만 예린은 싸우지도 않고 지는 건 자존심이 상한다고 말했다. 오답이든 정답이든 문제를 풀어야 해결할 수가 있다고, 함께 부딪쳐 보자고 나를 설득했다.

거기에 그치지 않고 예린은 밤새 정로아의 횡포도 모아 왔다. 오답 노트를 나만 받은 게 아니었다. 수시로 마음에 안 드는 애들을 학생부로 데리고 가 오답 노트를 주며 구박했다는 걸 알아냈다. 심지어 네네시 코너 아이디어도 후배 건데 빼앗은 거였다. 예린은 청학중 여신의 신화 모두가 거짓이었다며, 알고 보니 정로아가 오답 그 자체, 오답 사피엔스였다며 분개했다.

오답 사피엔스라니! 단어도 인상적이지만, 참을 수 없다며 주먹을 꼭 쥐고 흔드는데, 역시 예린에겐 연극부가 어울린단 생각이 들었다. 하긴, 이 와중에 연극부라니, 나 스스로 어이없어 잠시 웃었다. 역시 예린과 이야기를 나누면 긴장이 풀린다. 내가 있어야 할 곳은 주예린 씨 옆이 맞았다.

수업이 모두 끝나자마자 예린과 방송부로 향했다. 마침 정로아와 방송부 부장만 있었다.

"선배, 저 일대일 지도 안 받을래요!"

연습한 대로 정로아 눈을 바라보며 분명하게 말했다.

"그럴래? 아쉽네! 이번 달 네네시는 다른 사람에게 맡겨 보려 했는데, 할 수 없이 내가 또 해야겠네."

아쉽다고 말하지만, 정로아의 표정에는 여유가 넘쳤다. 갑자기 투지가 솟았다. 정로아가 적어 준 오답 노트를 떠올려, 턱을 살짝 들고 목소리에 힘을 실어 다음 말을 꺼냈다.

"그리고 이거 돌려드릴게요! 선배가 써 준 이 오답 노트에는 정답이 없어요!"

표지가 너덜거리는 오답 노트를 내밀자, 정로아 눈이 다소 흔들렸다. 당황하는 정로아 대신, 방송부 부장이 내 손에서 노트를 가져갔다. 정로아가 뒤늦게 빼앗으려 했지만, 늦었다. 노트를 펼친 방송부 부장의 입에서 한숨이 흘러나왔다.

"야, 정로아! 도와주라니까 이게 뭐야? 너 진짜!"

"아니, 그게 아니라 얘는 진짜 너무 못해!"

둘의 입씨름에 내가 끼어들었다.

"부장님! 로아 선배 말이 맞아요. 제가 리딩을 너무 못해요! 그래서 안 하려고요."

내 말에 정로아가 살짝 웃었다. 입꼬리가 한쪽만 올라가는 비열한 웃음이었다.

"그래도 선배! 사람보고 오답이 뭐예요. 너무 야비해요. 사람이 시험 문제는 아니잖아요? 그리고 남이 써 주는 건 채점지지, 오답 노트가 아니죠. 써도 제가 쓸게요. 정답을 위한 진짜 오답 노트로 말이죠.”

준비해 두었던 말을 속사포처럼 쏟아 냈다. 정로아의 고운 얼굴이 처참하게 구겨졌다. 주예린 씨가 “오오, 오지인 씨 말 겁나 잘해.”라며 작게 감탄하는 바람에 정로아의 얼굴이 더 빨개졌다. 내가 생각해도 제법 말을 잘한 것 같았다. 기운을 몰아 이어서 말했다.

“그래서 말인데요, 저희 그만둘게요! 방송부랑 안 맞는 것 같아서요!”

“그러렴. 분수에 안 맞는다는 걸 알았다면, 나가야지!”

다소 낮은 목소리에 이를 악문 것 같은 정로아의 대답이었다. 끝까지 뻔뻔한 모습에 다음 말을 잃었다. 하긴 여기까지 떨지 않고 말한 것도 대단했다. 분하긴 했지만, 대꾸할 말이 떠오르지 않아 살짝 답답해졌다.

그때였다. 주예린 씨가 헛기침을 두어 번 하고 나섰다.

“아, 선배! 이렇게 나오면 참았던 말을 하고 싶어지잖아요! 순둥이 지인이가 참으라고 했지만, 어쩔 수 없네요. 이건 선배 탓이에요!”

“그건 또 무슨 소리야? 네까짓 게 안 참으면 어쩔 건데?”

정로아는 더 이상 보여 줄 바닥도 없다고 생각했는지, 거칠게 다가오더니 손가락으로 예린의 어깨를 밀어제쳤다. 한 뼘이나 더 큰 정로아가 위협을 가했지만, 예린은 조금도 주눅 들지 않았다. 오히려 한 발짝 더 다가서서 턱을 들었다.

"선배! 4월 네네시, 그거, 지인이 글 맞잖아요. 지인이가 쓴 메모 그대로 후배한테 주고서 덧붙이라고 하셨다면서요? 하긴 네네시 아이디어도, 그동안의 시 추천 글도 다 빼앗은 거라면서요? 참다 참다 나갔다고 하던데요. 다 들었어요. 제가 보기와는 다르게 발이 넓어서요!"

정로아는 그게 무슨 말이냐고, 거짓말하지 말라고 펄펄 뛰었지만, 전에 없이 말을 더듬고 목소리까지 떨리고 있었다. 더군다나 방송부 부장의 구겨진 미간과 벌어진 입에서 이미 어느 쪽이 진실인지 추가 기울어져 있었다.

이겼다. 이게 되네? 사실, 우리가 처참하게 당하더라도 둘이니 덜 아플 것 같아 시작했는데, 힘을 합치니 뜻한 바가 이루어졌다. 머리가 맑아졌다. 덕분에 아까 대꾸 못 했던 말이 떠올랐다.

"선배도 오답이었네요! 분수에 안 맞는 거 하느라 고생하셨겠어요!"

내뱉고 나니 온몸이 산뜻해졌다. 몸무게만이 아니라, 감정에도 다이어트가 필요한 거구나 느꼈다.

이번엔 내가 예린의 팔짱을 끼고 방송부를 나왔다. 뒤로 방송부 부장의 큰 목소리가 들렸지만, 상관없었다. 이제 우리는 방송부 부원이 아니었다.

"찐! 우리 이제 어디 가? 또 도서실 가서 외계인 만나는 방법이나 찾을까?"

"뭐래? 그만 찾아! 나 이제 외계인 안 만나도 돼."

나는 예린에게 외계인 만나면 아빠 보고 싶다고 말하려 했었다고 솔직히 말했다. 그리고 이젠 외계인이 아니어도 된다고, 엄마와 아빠 이야기를 할 수 있을 것 같다고 고백했다. 엄마가 쓴 쪽지를 읽고 용기가 생겼다. 예린이 한동안 나를 쳐다보았다.

"야, 미안해!"

"주예린 씨가 왜 미안해?"

"아니, 사실, 나 너 때문이 아니라 나 때문에 외계인 찾은 거였어. 찾아서 유명인 좀 되어 보려고!"

"뭐라고?"

"정말 미안해!"

주예린 씨가 복도를 달렸다. 나도 따라 달렸다. 어디선가 뛰지 말라는 목소리가 들려왔지만, 멈추기엔 이미 늦었다. 우리의 사춘기가 봄을 맞이하고 있었다.

방송부를 탈퇴하고 주예린 씨와 나는 또 도서실에서 시간을 보냈다. 하지만 예전과 다르다. 그냥 보내지 않고 시간을 적극적으로 활용했다. 시집을 좀 더 많이 찾아 읽고, 종종 따라 쓰는 필사를 시작했다.

예린은 시인이 될 거냐 물었지만, 아직 모르겠다고 그저 좋아하는 걸 해 보려 한다고 대답했다. 돈이 안 드는 취미 활동이라고 하면 좀 없어 보일까 봐 둘러댄 거다. 사실 시를 읽고 쓰기 시작하면서부터 머리도 덜 아팠다. 그것도 좋았다.

예린도 좋은 생각 같다며, 혹시 시인이 될 거면 글씨 연습부터 하라고 했다. 워낙 악필이라 독자들 사인해 줄 때 받는 사람이 더 창피할 거라면서.

등짝을 한 대 때려 주려는데, 도서실 스피커에서 익숙한 시그널 뮤직이 나왔다. 네네시였다.

우리가 나온 뒤로도 정로아는 그대로 학생회장이었고, 방송부였다. 바뀐 건 없었다. 그래도 우린 잠시 장난을 멈추고 방송에 집중했다.

4월의 시는 그대로 〈완력〉이었지만, 정로아 목소리가 아니었다. 또한 마지막에 오늘의 시 추천 글은 애독자의 글이었다면서 다음 달에도 시 신청과 글을 받아 코너를 진행하겠다며 끝맺었다.

나는 예린을 보며 씩 웃었다. 이겼다. 오답은 내가 아니라 정로아였다.

"주예린 씨가 또 맞았네! 오답 사피엔스 정로아!"

"그렇게 좋냐? 툭툭 부러진 손가락이 왜 꽃이 되는데요? 으흐흐흐."

예린이 손가락을 힘없이 늘어트리고 귀신 흉내를 냈다. 나는 또 풋 웃음을 터트렸다. 사서 선생님이 또 모니터에서 눈을 떼고 고개를 들었다.

이번엔 도망가지 않고 자리에서 일어나 죄송하다고 고개를 숙여 인사를 드렸다. 사서 선생님도 고개를 끄덕여 주셨다. 일어난 김에 다음 달 네네시에 알맞을 시집을 찾기로 했다.

5월은 좀 더 밝은 시로 골라 당당히 내 이름도 넣을 생각이다. 이번엔 엄마에게 자랑할 거다. 나는 엄마의 정답이니까!

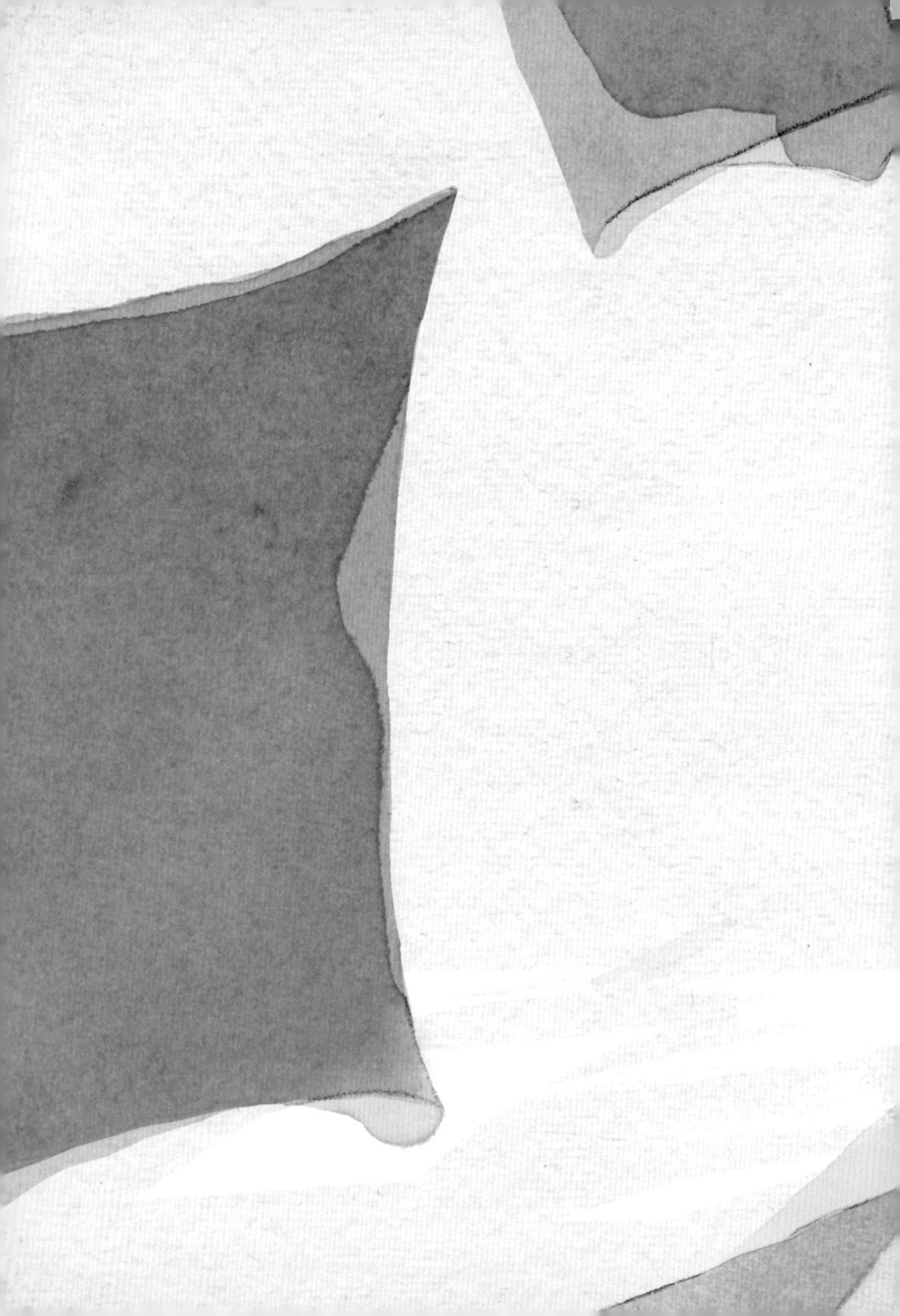

• 작가의 말 •

학창 시절엔 그렇게 질렸던 교과서가 어른이 되고서는 참 간절했어요. 살면서 이게 정답인지 오답인지 알 수 없어 선택의 순간엔 늘 망설였거든요. 그럴 때마다 정답만 나와 있는 '삶 교과서'가 있으면 좋겠다 늘 빌었죠. 간절했지만, 기다린다고 해결될 문제는 아니었어요. 물론, 정답이 행운처럼 와 줄 때도 있었지만, 또 다른 선택이 저를 기다리고 있기도 했어요.

가끔은 두려워 선택을 피했어요. 더 명확한 답을 찾으려 계속 미루기도 했지만, 시간도 정답은 아니었어요. 오히려 선택지만 좁아졌을 뿐, 무게는 그대로였죠.

그러다 어느 순간, 정답 찾기가 지겨워졌어요. 그래서 무조건 부딪쳐 보기도 했어요. 그땐 어땠냐고요? 속은 좀 시원했지만, 그 역시 정답의 지름길은 아니었어요. 오히려 오답의 흑역사만 가득한 오답 노트만 남았답니다.

하지만 제법 두꺼워진 오답 노트를 천천히 들여다보니 조금은 알 것 같아요. 우리는 정답을 위해서 사는 것이 아니라는 걸요. 필요한 건 정답이 아니라 오답을 이겨 내고 다음 선택을 위해 씩씩하게 걸어갈 힘이라는 걸 알게 되었어요.

누굴 만나게 될지, 어떤 상황을 맞이하게 될지 몰라요. 그러니 우린 조금 더 열린 마음으로 내일을 준비하도록 합시다.

이 책이 친구들을 마지막까지 믿어 주고 곁에 있어 줄 '주예린 씨'가 되길 바라며.

푸른 하늘에 별이

윤수란

커튼을 걷자 교실 안이 금세 환해졌다. 한동안 흐리더니 모처럼 햇살이 밝았다. 꼬맹이들은 알록달록한 낮잠 이불 위에서 곤히 잠들어 있었다.

"선생님—."

역시 별이가 가장 먼저 깼다. 잠에서 깨면 낮은 목소리로 "선생님—." 하고 부르는 별이. 커튼을 걷는 소리나 교실 밝기의 변화를 잠을 자면서도 느끼는지 별이는 눈을 가장 먼저 뜨는 아이였다.

인터넷 알림장에 아이들의 오전 활동을 기록하던 김 선생님이 팔꿈치로 나를 툭 쳤다. 별이가 부르는 선생님이 김 선생님이 아니라 나라는 것을 우리는 잘 알고 있었다.

"선생님, 안녕히 계세요."

배꼽 인사를 공손히 한 별이는 나에게 한 번 더 와락 안겼다.

"선생님, 내일 또 만나요."

귓속말을 하고는 김 선생님의 손을 잡고 교실을 나갔다. 별이만의 하원 의식이었다. 잠시 뒤 김 선생님이 돌아왔다.

"별이 어머니는 걱정이 좀 많아 보이셔. 그래서 애가 어두운가? 그래도 하늘 선생님이 오고 나서 별이가 부쩍 밝아졌는데……. 하늘 선생님 알바 끝나면 걱정이다."

이곳 행복어린이집은 서울 외곽 신도시 중앙부에 있다. 지난 봄에 교육 실습 때문에 처음 오게 되었다. 우리 집에서 버스로 20분 정도 거리라 학교 등하교보다 편했다. 교육 실습을 하는 동안 영유아 보육 전공으로 특성화고에 가기를 잘했다고 생각했다. 처음에는 학비가 들지 않고, 장학금도 제법 받을 수 있다고 해서 선택한 학교였다. 아이들을 보면 귀엽다는 생각은 들었지만 어린이집 선생님이 되고 싶은 마음이 있었던 것은 아니었다. 막상 교육 실습을 해 보니 교구 만들기, 급식 지도, 낮잠 교육, 알림장 작성에 청소까지 할 일이 너무 많아 몸은 피곤했지만, 꼬맹이들은 정말 예뻤고 그래서 힘든 일도 버틸 수 있었다.

한 달 동안의 실습이 끝날 때는 예기치 않게 눈물이 솟았다. 어린이집 방침 때문에 꼬맹이들에게 마지막 인사를 못 한 것이 너무 아쉬웠다. 실습이 끝난 후 한동안은 집 앞에서 신도시로 가는 버스만 봐도 가슴이 뭉글거렸다.

그런데 12월 초에 행복어린이집에서 학교로 연락이 왔다. 겨울방학 동안 아르바이트를 할 수 있겠냐는 것이었다. 보조 교사 한 명이 사정상 몇 개월 정도를 쉬어야 해서 대체 보조 교사가 필요하다고 했다.

"그 어린이집에서 하늘이를 잘 봤나 봐. 재학생한테 이런 제안 들어오기 쉽지 않은데."

담임이 나를 힐끔 올려다봤다. 뭔가 재미있는 일이 벌어지고 있다는 표정이었다. 어떤 표정을 지어야 할지 몰라서 나는 애매하게 웃어 보였다.

"알바라고 생각하지 말고 두 번째 실습이라고 생각하고 열심히 해. 이번에 잘하면 3학년 2학기에 그쪽으로 바로 취업이 될 수도 있을 거 같으니까."

담임은 진학을 하지 않고 바로 취업을 하겠다는 나에게 정말이냐고 두 번이나 물어봤었다.

"취업하고 3년 정도 근무한 다음에 산업체 특별 전형으로 대학 가면 딱이겠다."

담임이 내 마음을 읽었는지 덧붙였다. 3년이면 엄마에게 생활비를 좀 보태 주고도 등록금을 얼추 마련할 수 있을 것이다. "이번에 잘하면"이라는 단서가 붙었지만 나는 이미 저축과 소비에 대한 3년 계획을 세우고 있었다.

엄마는 아르바이트를 반대했다. 교육 실습 갈 때도 행복어린이집을 별로 마음에 들어 하지 않았다.

"그냥, 신도시는 너무 사람이 많잖아."

엄마의 눈빛은 진지했으나 이유는 싱거웠다.

"그게 다야?"

내가 얼굴을 들이밀며 묻자 엄마는 얼굴을 뒤로 빼며 손사래를 쳤다. 무언가를 잔뜩 이야기하고 싶어 하던 눈은 이내 텔레비전으로 향했다.

"사람 많은 데서 예쁜 딸 잃어버릴까 봐?"

"그래, 어쩔래?"

엄마는 후후 웃으며 텔레비전을 응시한 채 말했다. 말을 끝낸 입은 꼬리까지 단단히 여며져 있었다. 눈빛도 차가워져 있었다. 마음에 들지 않는다는 표현이라는 것을 나는 잘 알았다. 보통은 이쯤에서 "그래, 알았어. 엄마가 정 그렇다면." 하고 물러났을 나였다.

"길 잘 보고 다니고, 차도 조심할게."

불필요하다고 생각한 말이지만 엄마를 안심시키고 싶었다. 표 나지 않게 심호흡을 한 번 했다. 엄마의 허락은 이미 필요치 않았다. 그때만큼은 내 마음이 시키는 대로 하고 싶었다. 엄마는 옅은 미소를 지으며 고개를 끄덕였다.

"빠르면 3학년 2학기에 정식 취업을 할 수 있다며? 그럼 이번 겨울 방학이 학창 시절 마지막 방학이나 마찬가지잖아. 알바하지 말고 마지막 방학을 즐기는 건 어때? 이제 엄마도 월급이 꽤 되니까."

긴말 속에 '또 거기야?' 하는 뉘앙스가 짙었다.

"왜 또 사람이 너무 많은 동네라서 싫은 거야?"

이번에도 엄마의 말은 나의 결심을 무너뜨릴 수 없었다. 두 번째는 첫 번째보다 쉬웠다.

신도시의 모든 것은 네모반듯한 선 위에 깨끗하게 올라가 있었다. 좁고 어둑한 골목으로 연결된 우리 동네와 달랐다. 키 큰 아파트들은 숨 막힐 듯한 위압감과 동시에 묘한 설렘을 주었다. 나는 그런 감정들이 두려우면서도 좋았다.

"일은 안 힘드니?"

늦은 저녁을 먹으며 엄마가 물었다. 2주 전부터 마트에서 오전 근무로 바꾼 엄마는 꼭 저녁을 차려 놓고 나를 기다렸다. "이렇게 너 저녁도 차려 주고 얼마나 좋니."라고 말하는 엄마에게 웃어 보였지만 엄마가 차려 주는 저녁은 너무 오래간만이라 낯설었다. 좋다거나 고맙다는 표현이 생각나지 않을 만큼.

"괜찮아."

"네가 어렸을 때부터 아기들을 참 예뻐했어. 맨날 동생 낳아

달라고 떼썼는데."

내 기억에는 없는 이야기였다. 엄마를 혼자 기다리던 때면 누군가가 내 옆에 있었으면 좋겠다고 바랐지만 그게 동생은 아니었다.

"너도 그만할 때 정말 예뻤어. 은쟁반에 옥구슬 굴러간다는 말이 딱 맞을 만큼 목소리도 예쁘고, 엄청 사랑스러웠어."

"나 예뻤어?"

"그럼."

엄마는 여섯 살짜리 꼬맹이가 눈앞에 있는 듯 자랑스럽게 말했다. 엄마의 말이 마음에 와닿지 않았지만 그냥 고개를 끄덕거렸다.

"정을 주지는 않으려고. 결국 헤어질 거니까."

"그, 그래?"

엄마는 눈이 동그래져서 나를 보았다. 엄마가 이런 반응을 보일 줄 알았다. 일부러 마음에 없는 소리를 할 때가 있다. 엄마 눈이 동그래지면 괜히 통쾌한 기분이 들었다. 정말 의외라는 듯 나를 보는 시선이 부담스러워 눈길을 피했다. 식탁 위의 달걀말이가 눈에 들어왔다. 별이가 가장 좋아하는 반찬이었다. 밥을 거의 먹지 않아서 다섯 살처럼 보이는 그 애는 달걀말이가 나오면 그나마 밥을 조금 먹었다. 왜 지금 별이가 떠오르는 거지? 나는 고개를 흔들었다.

엄마는 언제나 최선을 다하는 사람이 되라고 했다. 무엇이든 열심히 하고 준비를 해 놓은 사람이 기회를 잡는 거라고. 눈을 초롱초롱 빛내며 엄마 말대로 살려고 애쓰는 하늘이는 더 이상 없었다. 언제부터인가 엄마가 하는 말하고는 정반대로 살고 싶었다. 엄마에게 대놓고 보여 주지도 못하면서 마음속에서는 그게 아니라고 계속 소리치고 있었다. 엄마는 계속 같은 세계를 보여 주고 싶어 했지만 나의 세계는 변했다.

"하늘 선생님, 별이 하원 좀 도와주세요."

김 선생님은 점심 먹은 것을 게운 채빈이 옷을 갈아입히는 중이었다.

별이 가방을 챙기고 옷매무새를 다듬어 주었다. 하원은 담임 선생님 몫이지만 가끔 내가 대신 했다. 별이는 처음이었다. 별이 손을 잡고 현관으로 가는데 가슴이 두근거렸다. 실루엣만 보이던 별이 어머니가 점점 또렷하게 보이기 시작했다. 나는 별이의 손을 꼭 쥐었다. 별이 어머니는 미인이었다. 다른 꼬맹이 어머니들보다 어려 보였다.

다른 어머니들은 내가 나가면 고개를 갸웃하다가 “아, 하늘 선생님?” 하며 이야기 많이 들었다거나 고맙다는 말을 했다. 별이 어머니는 그런 말이 없었다. 나의 얼굴을 바라보고 있는데 나를 보는 느낌이 아니었다. 나라는 존재 자체에 별 관심이 없는 것 같기도 하고, 내 뒤에 있는 무언가를 보는 것 같기도 했다. 나로 인해 별이가 어린이집에서 울지도 않고, 밥도 잘 먹고, 그림책도 잘 본다는 것을 전혀 모르는 것 같아 서운했다.

별이 어머니는 별이가 손을 잡을 때까지도 내 뒤의 어딘가를 응시하고 있었다. 별이가 손을 흔들자 천천히 고개를 돌려 아이를 바라보았다. 그리고 미소를 지었다. 웃으며 고개를 끄덕여야 한다는 것을 기억하고 행동하는 느낌이었다. 그 텅 빈 미소를 보고 별이는 엄마의 허벅지를 와락 안았다. 잠시 그렇게 서 있던 별이 어머니는 천천히 아이의 팔을 풀고 손을 잡았다. 뒤돌아섰다가 뒤늦게 생각났다는 듯이 나를 돌아보고 고개를 숙여 인사를 했다. 이 모든 장면을 어디에선가 본 듯했다.

수업 자료를 만들고 늦게 퇴근하는 날이 이어졌다. 겨울은 밤이 빨리 찾아왔다. 신도시의 번화가는 추위를 빛으로 물리치려는 듯 휘황찬란했다. 버스가 흔들릴 때마다 거리의 사람들도 상점의 불빛들도 덩달아 들썩거렸다. 신도시를 벗어난 버스는 가로등이 듬성듬성 세워져 어둡고 스산한 택지 개발 지구를 지났다. 그리고 낮은 불빛들이 희미하게 빛나는 우리 동네로 접어들었다.

나는 지갑 안쪽에서 작은 사진을 꺼냈다. 빛이 약간 바랬지만 청바지에 흰색 티셔츠를 맞춰 입은 가족의 모습이 화사해 보였다. 사진을 찍은 날의 기억은 없다. 하지만 사진이 배달된 날은 정확히 기억났다.

일곱 살 때였다. 유치원 버스에서 내렸는데 기다리고 있어야 할 엄마가 없었다. 난감해하던 차량 선생님이 엄마에게 전화를 해 보았으나 허탕이었다.

"집 찾아갈 수 있지?"

아파트 정문에서 집으로 가는 길은 눈을 감고도 찾을 수 있을 만큼 익숙했다. 현관 비밀번호도 알고 있었다. 엄마는 집에도 없었다. 거실에 아무렇게나 풀려 있는 택배 상자에는 전에 찍은 가족사진이 들어 있었다. 큰 액자 위에는 지갑에 넣기 좋은 크기의 사진 몇 장이 보너스처럼 놓여 있었다. 나는 사진 한 장을 주머니에 넣고 방으로 갔다. 배가 살살 아픈 느낌이 들어 침대에 누웠는데, 갑자기 누가 나를 흔들어 깨웠다. 엄마였다. 창밖은 어두워져 있었다. 머리가 헝클어진 엄마가 나를 끌어안았다. 나는 슬프기도 하고 기쁘기도 해서 엄마에게 몸을 맡기고 그대로 있었다. 잠시 뒤 벌떡 일어선 엄마는 내 손을 잡고서 밖으로 나왔다. 그렇게 엄마와 둘이서 집을 떠나왔다.

엄마는 늘 잃어버린 무언가를 찾는 사람처럼 허둥댔다. 모든 것이 낡고 좁은 집도 낯선데 바람 앞의 촛불처럼 늘 흔들리는 엄마는 더 낯설었다. 허둥대다 나와 눈이 마주치면 엄마는 보고 있었냐는 듯 씩 웃었다. 웃는 얼굴을 보면 이상하다고, 낯설다고 말할 수가 없었다. 가끔은 진짜 괜찮은 것처럼 느껴지기도 했다. 그래도 엄마의 어색한 웃음을 보고 싶지는 않아서 엄마의 허벅지에 얼굴을 묻었다.

나 혼자서 집을 지키는 일이 많았다. 혼자서 엄마를 기다릴 때는 시간이 참 천천히 흘렀다. 학교에서 방과 후 수업을 다 듣고, 피아노 학원에 갔다가, 집에 와서 숙제를 다 끝내고, 피아노 학원에서 배운 것을 작은 전자 키보드로 외울 만큼 복기해도 엄마는 오지 않았다. 밤이 한참 늦어 엄마가 들어오면 나는 엄마를 꼭 끌어안았다. "우리 딸 오늘도 잘 지냈어?"라고 귀에 속삭이는 엄마의 목소리는 다정했지만 날이 갈수록 그 말을 들어도 기쁘지 않았다. 4학년 때였나, 어느 날 밤에 문득 깨달았다. 표정이나 말로 드러난 것과는 다른 마음이 숨어 있을 수 있다는 것을. 오래도록 고민하던 수수께끼가 풀린 기분이었다. 수수께끼를 풀었지만 하나도 기쁘지 않았다.

동네에 조금 익숙해질 무렵 급하게 이사를 하는 일도 몇 번 있었다. 엄마는 집을 나온 그날 이후 아빠를 단 한 번도 언급하지 않았지만 아빠로부터의 도망이라는 것을 알 수 있었다.

5학년 봄에 엄마가 케이크를 사 왔다. 정말 오래간만에 보는 케이크였다. 엄마는 초를 한 개 꽂고 불을 붙였다. 촛불의 작은 너울거림을 보면서 엄마가 웃는 표정으로 눈물을 흘리고 있다는 것을 알았다. 엄마의 진심은 웃음에 있는지 눈물에 있는지 혼란스러웠다.

"이제 우리는 완벽하게 둘이 되었어."

나에게 완벽이란 셋인데, 엄마는 둘을 완벽하다고 했다. 의문이 남았지만 오랜만에 먹은 초코케이크는 부드럽고 달콤했다. 한참 후에야 그날이 엄마와 아빠가 법적으로 이혼을 한 날이라는 것을 알았다.

아빠에게서 더 이상 도망을 칠 필요가 없어졌지만 그때부터는 경제적인 이유로 이사를 다녀야 했다. 그때마다 전학을 했기에 친구를 사귀는 것은 거의 불가능했다. 중학교 때 엄마가 대형 마트 캐셔로 일을 시작하면서 우리 생활도 자리를 잡기 시작했다.

규칙적인 월급은 우리 생활에 규모를 만들어 주었다. 직장 의료 보험이 되어서 병원 가는 일도 수월해졌다. 나는 엄마의 월급 중 얼마를 저금할 수 있을까, 혼자 계산해 보고는 했다. 엄마는 균일가 생활용품점에서 조화가 담긴 꽃병을 사 오기도 하고, 풍경이 그려진 액자를 사 오기도 했다. 늘 웃고 있던 엄마였지만 이제 진짜 웃는 거구나 생각이 들기 시작했다. 엄마는 더 다정해졌고 저녁에 들어오면 나를 꼭 안아 주었다. 하지만 나는 어정쩡하게 서 있을 뿐 더 이상 엄마를 끌어안지 않았다.

"여러분, 2월 5일이 무슨 날이지요?"

"설날이요!"

꼬맹이들이 목이 터져라 외쳤다.

"네, 맞아요. 설날을 맞아 가족 덕담 카드를 만든다고 했지요? 모두 가족사진 가지고 왔나요?"

김 선생님의 말에 꼬맹이들은 다시 한 번 큰 소리로 "네!" 하고 외쳤다. 가방에서 사진을 꺼내 허공에 흔드는 아이도 있었다. 별이는 그 모든 것에 관심이 없는 듯 가방만 끌어안고 있었다.

"별아, 사진 안 가지고 왔어?"

별이는 고개를 가로젓고는 가방을 더 꼭 끌어안았다.

"하늘 선생님, 이거 어떻게 해요?"

은서가 나를 찾았다. 카드 만들기를 한참 도와주고 돌아봤는데도 별이는 그대로 앉아 있었다.

"별아, 가족사진이 '나 좀 꺼내 주세요!' 하고 외치는데?"

가방에 귀를 대며 말하자 별이는 가방을 내게 넘겨주었다.

"별이네 가족사진아, 나와라, 얍!"

내가 장난스럽게 외치자 별이가 희미하게 웃었다. 사진은 파일 속에 담겨 있었다.

"별이네는 세 식구구나?"

사진 속에는 하얀색 티셔츠에 청바지를 맞춰 입은 세 사람이 있었다. 밝고 화사한 거실이 배경이었다. 지금보다 더 앳된 별이와 지금과 마찬가지로 미인인 별이 엄마, 그리고 별이의 아빠로 보이는 남자. 언뜻 보기에도 부부는 나이 차이가 많이 나는 듯했다.

사진에서 시선을 떼던 나는 무언가 이상한 기분이 들었다. 다시 사진을 쳐다보았다. 단정하게 빗어 넘긴 머리칼과 점잖게 웃는 얼굴, 별이와 별이의 엄마를 진심으로 아끼고 사랑한다는 표정의 중년 남자. 살이 조금 찌고 눈가에 주름이 늘었지만 그 얼굴을 알아볼 수 있었다. 그 사람은 내가 늘 도망쳐야만 했던 나의 아빠였다.

김 선생님이 원장실에 잠깐 간 사이 나는 온라인 알림장을 열었다. 별이를 검색하자 부모의 이름과 연락처가 나타났다. 아니길 바랐으나 아빠가 맞았다. 나는 서둘러 신상 명세 화면을 휴대폰으로 찍었다. 손이 덜덜 떨렸다.

그날은 교구를 정리하다 쏟기도 했고, 탁자 모서리에 허벅지를 부딪히기도 했다. 일은 손에 잡히지 않았고, 자꾸만 울고 싶은 기분이 들었다. 가까스로 일을 정리하고 어린이집을 나왔다. 바로 집에 들어가고 싶은 마음은 없었다. 나는 윤하에게 전화했다. 고등학교 1학년 때부터 같은 반이니 내 인생에서 가장 오래 사귄 친구였다. 장난도 많고 아무 생각 없이 말하고 행동하는데 나는 그게 마음에 들었다.

"무슨 일 있어?"

떡볶이가 매운지 단 음료수를 호로록 마시며 윤하가 물었다. 컵을 잡은 윤하의 손톱에 붙인 큐빅이 반짝 빛이 났다. 나는 고개를 가로저었다.

"뭔가 잘 안 풀리는 모양인데? 내가 하늘이 너를 모르냐?"

윤하가 거짓말하지 말라는 듯 눈을 가늘게 뜨고서 나를 바라봤다. 어디서부터 어디까지 말해야 할지 알 수 없었다. 엄마와 둘이 사는 것도, 가정 형편이 좋지 않은 것도 말하지 않았지만 다 짐작하고 있는 윤하였다.

"너는 네일 아트 잘돼 가나 보다? 손톱 예쁜데?"

윤하는 지난봄 교육 실습 후에 보육 교사는 절대 자기 적성이 아니라며 네일 아트 디자이너로 진로를 변경했다.

"말 돌리기는……. 나한텐 이 길이 훨씬, 훠얼씬 나아. 꼬맹이들 우글거리는 어린이집은 진짜 아니었어."

윤하는 자기 목을 조르는 시늉을 하며 말했다. 별로 웃기지도 않았는데 나는 눈물이 찔끔 나도록 크게 웃었다. 매운 떡볶이를 잔뜩 먹으며 곧 까먹어 버릴 만한 이야기들을 실컷 하고 10시가 다 되어서 집에 들어갔다.

"오늘 많이 늦었네? 늦으면 엄마한테 전화해야지. 전화도 안 받고."

식탁에는 두 사람 몫의 저녁이 차려져 있었다.

"너 좋아하는 조기구이 했는데."

엄마는 진심으로 아쉬운 표정이었다.

"나 기다리지 말고 먹지 그랬어."

"너 어릴 때 혼자서 많이 먹었잖아. 이제 엄마가 일찍 끝나니까 꼭 같이 먹어 주고 싶어."

"먹어 주고 싶어."라는 말이 내 마음에 콕 박혔다. 엄마의 마음은 내 마음하고는 다른 방향으로 흘러가고 있었다. 7년 전, 5년 전, 아니 3년 전만 해도 나도 엄마와 마주 앉은 밥상을 기대했을 것이다.

방으로 들어가는데 텔레비전 뉴스 화면이 눈에 들어왔다. 금융 사기 행각을 벌여 온 일당을 연행하는 장면이었다.

"엄마, 나쁜 짓 하는 사람들은 벌 받아야 하지 않아?"

"그래야 마땅하지. 저 사람들도 죗값을 톡톡히 치러야지. 다른 사람 눈에서 눈물 쏟게 했으니까."

"그런데 누가 잘못했는지는 어떻게 알아?"

"경찰이 다 밝히겠지. 전문가잖아."

엄마는 가끔 내 방문을 밖에서 잠그고 나오지 못하게 했다. 화도 나고 답답하기도 했지만 무서운 게 가장 큰 문제였다. 모든 인형을 꺼내 놓고 놀다가, 이불을 뒤집어쓰고 노래를 부르고 숫자를 셌다. 그러다 스르르 잠이 들고는 했다. 다음 날이면 엄마는 하루 종일 등을 보이며 누워만 있었다.

"엄마 조금만 잘 테니까 가까이 오지 마."

내가 다가가려 하면 작고 힘없는 목소리로 말했다. 무겁고 차가운 말이었다. 그런 날이면 아빠는 더 다정하고 친절해졌다. 퇴근할 때 꽃다발과 케이크를 들고 왔고, 나를 위해 요술봉이나 플라스틱 화장품이 든 핸드백을 사 오기도 했다. 아빠는 누워 있는 엄마를 대신해 설거지도 했다.

나는 엄마가 아빠로부터 도망친 이유를 알 수 없었다. 아빠가 나쁜 짓을 했다면 도망은 아빠의 몫이어야 했다. 마땅히 죗값을 치러야 했을 것이다. 그런데 젊고 아름다운 아내에 귀여운 아들까지 두고, 번듯한 신도시에서 남부럽지 않게 살아도 되는 걸까? 아빠가 나쁜 짓을 하지 않았다면 우리는 왜 도망쳐야 했던 것일까? 무엇으로부터 왜?

"엄마는 아빠 소식 알아?"

식탁을 치우던 엄마의 몸이 경직된 듯 멈추었다. 엄마는 천천히 고개를 돌렸다. 엄마의 눈은 내 이마 언저리를 불안하게 오고 갔다. 엄마의 눈동자가 유난히 까매 보였다.

까만 눈동자 안으로 내 방이 보였다. 커튼이 드리워진 공주 침대, 3층짜리 인형의 집, 그 안에 잘 정리해 둔 소꿉놀이 세트와 소리가 참 맑았던 피아노까지. 엄마가 누워 있을 때면 나는 소꿉놀이를 했다. 내 마음대로 문을 열 수 있고, 모든 것에 다가가고 만질 수 있는 인형의 집에서. 나는 그런 것들을 종종 떠올렸다. 새로 이사를 갈 때면 더 그랬다. '눈을 감았다 뜨면 여기가 그 방으로 변할 거야. 예쁘고 화사했던 내 방으로.' 수없이 주문을 걸었지만 현실이 되지는 않았다.

아빠가 우리를 어서 찾아 주기를 바라기도 했다. 우리를 찾아서 안온한 진짜 내 집으로 데리고 가 주기를 바랐다. 유치원을 마치고 돌아오면 기다려 주는 엄마가 있던 집으로 말이다. 내 마음은 간절했지만 엄마에게 그 소망을 말할 수는 없었다.

엄마는 아무 말도 못 하고 마른 입술에 침을 발랐다. 웃으려고 애를 쓰는 엄마의 입술 꼬리가 살짝 떨렸다. 나는 내 방으로 들어와 버렸다.

나는 별이에게 잘해 줄 수가 없었다. "선생님—." 하고 나를 부르는 작고 부드러운 목소리가 거북했다. 화가 났다. 별이에게는 어떤 잘못도 없다는 것을 잘 안다. 하지만 이제 아무렇지도 않게 이 아이를 안아 줄 수가 없었다. 내 공주 침대와 인형의 집과 피아노를 엄마의 눈동자 속에 가두어 버린 게 별이 같았다.

'난 네 선생님이 아니야.' 별이를 노려보며 마음속으로 외치기도 했다. 얼마 전까지만 해도 시간이 천천히 흘렀으면 했는데 이제는 당장이라도 어린이집을 그만두고 싶었다.

"하늘 선생님, 요즘 별이랑 거리 두기 해? 하긴 이제 시간이 얼마 안 남았으니까 정을 떼긴 해야지. 그래도 천천히 해요. 애가 힘들어해."

나는 아무 말도 하지 않았다.

별이는 하루 종일 시무룩했다. 내 주변을 맴돌다가 내가 곁을 주지 않자 예전처럼 가장 한산한 놀잇감이 있는 쪽으로 가서 혼자 놀았다. 체육 시간에도 구석에 힘없이 앉아만 있었다.

"선생님, 별이는 왜 체육 안 해요?"

채빈이가 이상하다는 듯이 물었다.

"별이가 오늘 몸이 좀 안 좋은가 본데."

김 선생님이 둘러대면서 내게 턱짓을 했다. 하는 수 없이 별이에게 다가갔다.

"별아, 오늘 몸이 안 좋니?"

무릎에 고개를 숙이고 앉아 있던 별이의 양팔을 살짝 잡았다.

"아악—."

별이는 앓는 소리를 냈다.

"벼, 별아."

별이가 얼굴을 들었다. 아이는 떨고 있었다. 소리도 내지 못하는 아이 눈에서 눈물이 주르륵 흘러내렸다. 아파서 우는 건지, 오래간만에 관심을 준 나에 대한 원망 때문에 우는 건지 혼란스러웠다. 체육복 어깨를 내려 별이의 팔을 살펴보았다. 시퍼런 멍이 들어 있었다. 체육복을 들추어 보니 배에도 멍이 있었다.

"누, 누가 그랬어?"

별이는 겁먹은 눈으로 나를 바라볼 뿐이었다. 그러더니 고개를 가로젓고는 다시 무릎에 얼굴을 묻어 버렸다. 나는 본능적으로 별이를 안아 주었다. 한동안 동그랗게 만 몸을 풀지 않던 별이는 잠시 뒤 힘을 풀고 내게 안겼다. 그리고 내 목에 팔을 둘러 나를 안았다.

그날 별이는 내 옆에만 있었다. 마음이 복잡했다. 내 마음은 아직 별이를 용서할 수가 없는데 별이한테는 내가 필요했다. 혼란스러운 마음에 눈물이 날 것만 같았다. 하원 시간에도 별이는 내 옆에 꼭 붙어 있었다. 김 선생님이 어쩔 수 없다는 듯 나에게 별이 가방을 들려 주었다. 별이 어머니 얼굴을 볼 생각을 하자 식은 땀이 흘렀다. 이대로 수증기가 되어 증발해 버리고 싶은 심정이었다.

누가 별이를 이렇게 만든 것일까? 별이 어머니일까, 아니면 아빠일까? 아무리 생각해도 아빠가 나를 때렸던 기억은 없었다. 그렇다면 별이 어머니일까? 바람이 불면 한 줌 재처럼 훅 흩어져 버릴 것만 같은 그 여자가?

별이의 속도에 맞춰 천천히 복도를 걸었다. 열린 현관문으로 밝은 햇살이 쏟아지듯 들어왔다. 그 앞에 선 별이 어머니의 실루엣이 점점 뚜렷해졌다. 한 뼘 거리에서도 별이 어머니의 눈에서는 어떤 감정도 읽을 수 없었다. 평소보다 더 기운 없어 보이는 퀭한 얼굴이었다. 영혼이라는 것이 1퍼센트도 존재하지 않는 것 같았다. 별이 상태를 아느냐고 묻고 싶었는데 입이 떨어지지 않았다.

그때 현관 밖 도로에서 자동차 한 대가 경적을 울렸다. 별이 어머니는 잊고 있던 숙제가 생각난 아이처럼 별이 손을 잡고 가방을 건네받았다. 허둥대며 뒤돌아선 그녀 너머로 경적을 울린 자동차가 보였다. 운전석 창문에 팔을 걸치고 손가락으로 장단을 맞추던 운전자가 이쪽을 바라보았다. 그와 눈이 마주쳤다. 내 몸 안의 모든 액체가 얼어 버리는 느낌이었다. 별이와 별이 어머니가 자동차로 다가가자 그는 서둘러 내렸다. 친절한 몸짓으로 세상에서 가장 소중한 것을 보호하듯 자동차 뒷문을 열어 두 사람을 태웠다. 문을 닫은 후 뒤돌아선 그는 고개를 숙여 정중하게 인사를 했다. 나에게. 두 번째로 눈이 마주쳤다. 만면에 점잖은 미소를 띤 그는 자동차를 몰고 유유히 떠나갔다.

모든 생각이 멈추었다. 햇빛이 너무 밝아 눈앞이 캄캄했다. 어디선가 강력한 회오리바람이 불어왔는지 내 몸이 휘청였다. 한때 엄마와 나를 찾고 또 찾아다녔지만 이제는 철저하게 잊은 아빠를 예기치 못한 장소에서 상식적이지 않은 관계로 만나게 된 것이다. 회오리는 차차 가라앉았으나 그 짧은 시간에 나는 마라톤을 완주한 사람처럼 기운을 완전히 잃고 말았다.

아이들이 하원한 후에 몸이 조금 안 좋다고 말하고 일찍 퇴근을 했다. 집 앞 정거장을 그냥 지나쳤다. 창밖을 무심히 내다보며 한참을 지나쳐서야 버스에서 내렸다. 천천히 길을 되짚어 걸었다. 그사이 날이 따뜻해져서 사람들의 외투가 가벼워 보였다. 저마다 목적지를 향해 걷고 있는 사람들을 지나치면서, 나는 집으로 가고 있으면서도 갈 곳이 없는 것처럼 느꼈다.

일곱 살 꼬맹이가 열일곱 살이 되었다. 키도 컸고 얼굴도 변했다. 못 알아보는 게 당연하다고 생각했다. 어떤 면에선 못 알아봐서 다행이기도 했다. 그런데도 극심한 배신감이 뱃속을 뒤틀어 놓았다. 혹시 뒤늦게 기억이 나서 내일 연락을 해 오는 것은 아닐까, 잠시 생각했으나 이내 고개를 저었다. 아빠가 연락해 주기를 바라는 내 마음이 안쓰러웠다.

휴대폰을 열어 사진을 불러왔다. 성명 하별, 부 하진석, 1979년

4월 4일생. 이름 옆에 전화번호가 분명하게 찍혀 있었다.

"어머!"

순간 어떤 아이와 부딪칠 뻔했다. 아이의 엄마가 눈을 흘기며 아이를 품에 안듯이 감쌌다. 별이가 떠올랐다. 작고 가느다란 어깨의 별이. 길 한편에 붙어 서서 김 선생님과 윤하에게 문자 메시지를 보냈다. 늘 무기력하고 기운이 없는 별이의 몸에 올라온 보라색 멍에 대해서, 요즘 더 떠는 그 애의 가녀린 어깨에 대해서.

어디에 부딪혔겠죠.

어머님이 걱정이 많아 보이시기는 했어도

교양 있어 보였습니다.

아버님도 사업을 크게 하시는 분인 듯합니다.

신경 쓰지 않으셔도 될 것 같습니다.

김 선생님의 문자 메시지는 전에 없이 정중했다. 교양 있는 엄마와 돈 잘 버는 아빠. 내 것이었던 과거였다. 지금의 나는 만질 수 없는.

네가 며칠 전부터 걱정하던 게 이거야?

그냥 모르는 척해, 하늘아.
괜히 긁어 부스럼 만들었다가
거기 취업 못 할 수도 있잖아.

거의 동시에 윤하의 답장도 도착했다. 철없는 윤하가 나의 미래를 걱정하고 있었다. 내가 그만큼 위험한 생각을 하고 있는 것일까?

최대한 천천히 걸었지만 결국 집에 도착했다. 문소리를 듣고 엄마가 방에서 나왔다. 부엌 겸 거실로 쓰는 작은 공간이 어정쩡하게 서 있는 엄마와 나로 꽉 찼다. 바닥은 우리 둘의 검은 웅덩이 같은 그림자가 채웠다.

"아빠를 봤어. 아빠의 새 아내도 봤고. 그 둘의 아이를 내가 돌보고 있어."라고 말한다면 엄마가 어떤 표정을 지을지 궁금해졌다. 엄마에게 잔인해지고 싶은 마음을 억누를 수가 없었다.

"나는 가끔, 아니 자주 내가 아빠 집에서 계속 살았으면 어땠을까 생각해. 깨끗하고 예쁜 방에서 갑자기 이사 갈 걱정 같은 거 하지 않고 살 수 있으면 얼마나 좋을까, 매일매일 생각했어."

"너한테 아빠는 없다."

엄마는 어깨를 펴고 입을 굳게 앙다물었다.

"그렇게 말한다고 있었던 게 없어져? 내 기억이 이렇게 생생한데?"

"어떤 기억이 생생한데?"

눈앞에서 분홍 레이스 커튼이 하늘거렸다. 발레리나가 춤을 추는 금색 오르골에서 나온 불빛이 천장을 보석처럼 물들였다.

"내가 인생에서 가장 잘한 일이 그 집에서 빠져나온 거야. 최선의 선택이었어."

"최선의 선택? 난 그날 일 다 기억해. 엄마 혼자 나갔었잖아. 나갔다가 한참 만에 돌아와서 나를 데리고 간 거잖아."

엄마 얼굴에 당혹감이 스쳐 지나갔다. 무언가 말하고 싶은 듯 입을 달싹였지만 어떤 말도 쉽게 나오지 않았다.

"그, 그건…… 엄마가 잠시 미쳐서 그랬어. 죽을 것만 같아서 하염없이 택시를 타고 가다가 정신이 번쩍 들었어. 미안해. 정말 미안해."

"엄마가 죽을 만큼 힘들었다고? 떠나온 게 최선의 선택이었고? 나는 이해가 안 가. 내 기억에서 지워야 할 만큼 아빠가 나쁜 사람이었다면 왜 엄마가 도망쳐야 했어? 그리고 그 도망의 대가가 너무 가혹하잖아. 난 제대로 된 걸 하나도 가져 본 적이 없어.

집도, 방도, 친구도, 학교까지. 그리고 엄마까지도. 그날 아무도 없는 집에서 나는 무섭고 두려웠어. 잠긴 방 안에 갇혀 있을 때보다 더! 버림받았다는 걸 바로 알았다고!"

흔들리는 눈으로 내 얼굴을 훑던 엄마는 무서운 것을 본 사람처럼 숨을 죽이며 서 있었다.

"방문을 잠근 것도, 다, 기억해?"

엄마는 어둠 속에서 계단을 찾듯 조심스럽게 물었다. 나는 고개를 끄덕였다.

"소리도, 들렸니?"

나의 대답을 듣지도 않고 엄마는 휘청이는 걸음으로 방으로 들어가더니 종이 뭉치를 들고나왔다. 사진이었다.

"그 사진이 결정적인 증거였어. 그래도 이혼은 힘들더라. 다른 증거는 없었으니까. 평소에는 자상하고 세상에서 가장 점잖지만, 돌변하면 괴물이었어. 너 세 살 때인가? 너까지 집어 던지려고 하더라. 그래서 그다음부터는 낌새가 보이면 너를 방 안에 가둔 거야."

오래된 사진들이었지만 나는 처음 보았다. 검게 멍든 신체 부위들 사진이 대부분이었다. 그와 눈이 마주쳤을 때 온몸을 휘감았던 회오리가 다시 몰려왔다. 내 온몸을 휘청이게 한 그것은 내

몸이 기억하는 공포였다.

닫힌 방 안에서 핑크빛 드레스를 입은 인형과 티타임을 즐기다가 폭신한 침대에 인형을 누여 잠을 재우면서 나는 계속 노래를 흥얼거렸다. 닫힌 문틈으로 새어 들어오는 퍽퍽 부딪치는 소리와 꺼억 꺽, 숨넘어가는 소리. 물속에서 듣는 것처럼 울렁거리는 소리가 불안하게 신경을 긁었다. 몸이 저절로 떨리는 소리였다. 하지만 알아서는 안 될 비밀 같았다. 그래서 안 들리는 척, 모르는 척을 했었던 거다. 모른 척을 하다 보니 없는 일처럼 생각하게 되었나 보다. 꼬맹이였던 나는 자신을 그렇게 속여 왔다.

엄마는 울지 않으려고 애를 썼다. 웃으려는 듯 엄마 입꼬리가 또 미세하게 떨렸다. 엄마는 늘 그랬다. 새벽에 나가 밤늦게 들어와서도 웃으려고 했고, 갑작스럽게 옷가지를 챙겨서 두 사람이 누우면 양쪽 어깨가 벽에 닿는 고시원으로 숨어들었을 때도 씩씩한 척을 했다. 그렇게 하다 보면 정말 아무 일도 아닌 게 될 거라고 엄마도 자신을 속여 왔을까?

"나는 엄마가 미웠어. 정말 미웠는데 이게 뭐야……."

눈물은 나의 눈에서 터져 나왔다. 내가 울자, 엄마의 눈에서도 눈물이 흘러내렸다. 엄마를 처음으로 이해하게 된 순간에 엄마에 대한 미움을 고백하고 있었다. 내가 가진 모든 것으로부터 나를 떼어 낸 엄마가 미웠다. 이해할 수 없는 엄마의 선택 때문에 나까지 고통받는 것 같아 억울했다.

"엄마가 그렇게 고생하고 괴로웠던 것도 모르고 나는 엄마를 원망했어. 그 집으로 다시 돌아가고 싶어서 매일 밤 기도했다고. 나 때문에 엄마가 더 힘들었던 건데……."

모든 것을 다 걸고 나를 구하려 했던 엄마를 희생양으로 삼아 마음껏 오해하고 미워했다. 바보같이 아빠에 대한 미움은 한 줌도 없었다.

"네가 있으니 살아지더라. 너 없이 나왔으면 엄마는 여기까지 못 왔을 거야."

"진……짜?"

"응, 진짜, 진짜!"

엄마가 진짜라고 두 번이나 말하며 눈물에 젖은 미소를 지었다. 가짜일 거라고 여겨 왔던 엄마의 웃음이 진짜였다니. 엄마는 내 얼굴을 어루만지며 눈물을 닦아 주었다.

"네가 아빠 소식 아느냐고 얼마 전에 물었지? 네가 다니는 어린이집이 있는 신도시에 살고 있는 것 같더라."

엄마에게 그 사람을 본 이야기는 하지 않았다. 문득 별이의 멍든 팔과 배가 떠올랐지만, 그 말도 입 밖에 꺼내지 않았다. 엄마가 닦아 주는 대로 얼굴을 맡기고만 있었다.

별이는 내 것을 다 빼앗아 간 아이라 생각했는데, 어떻게 보면 나 대신 고통을 당하고 있는 셈이었다. 멍한 눈길의 별이 어머니도 떠올랐다. 왠지 낯설지가 않았는데 유치원 버스를 기다리던 엄마의 표정과 겹쳤다. 나를 기다리지만 나를 바라보는 것 같지는 않던 눈빛. 자꾸만 엄마를 부르게 하고, 허벅지에 얼굴을 묻게 할 만큼 불안했던 눈빛.

나는 손을 뻗어 엄마의 얼굴을 감쌌다. 엄마가 해 준 것처럼 이제 내가 엄마의 얼굴에서 눈물 자국을 닦아 냈다. 엄마 얼굴에 편안한 미소가 떠올랐다. 진짜 웃음이었다. 엄마의 어깨를 감싸안아 주었다. 나보다 키가 작은 엄마가 내 품에 폭 안겼다. 내 어깨에 얼굴을 묻고 엄마도 나를 안아 주었다. 우리는 처음 포옹하는 사람들처럼 조심스러웠다. 네 개의 손이 천천히 서로의 등을 쓰다듬었다. 따뜻하고 부드러웠다.

"고마워, 엄마. 나를 지켜 줘서. 씩씩하게 살아 내 줘서."

"엄마가 고맙지. 이렇게 알아서 잘 커 줬는데."

나는 나 혼자 자랐다고 생각해 왔는데 그게 아니라는 것을 이제야 알았다.

어린이집은 언제나처럼 분주했다. 등원한 아이들과 영어 동요 부르기를 하고 오전 간식을 먹은 후에 그림책 읽기를 했다. 아이들은 점심을 먹고 자유 놀이를 한 후에는 낮잠을 잤다.

김 선생님이 별이를 낮잠 이부자리에 눕히는데 별이가 "악—." 하고 앓는 소리를 냈다.

"별아, 미, 미안. 선생님이 너무 세게 잡았지?"

김 선생님은 내 눈치를 보며 서둘러 이불을 덮어 주었다.

한 시간쯤 뒤, 낮잠에서 깬 아이들은 오후 간식을 먹고 하원 준비를 했다.

"별아, 집에 가기 전에 쉬할까?"

나는 별이를 데리고 화장실로 갔다.

"별아, 며칠 전에 팔이랑 배에 있던 멍 다 나았어? 선생님이 멍에 잘 듣는 약을 사 오려고 하는데, 그러려면 사진이 필요해. 좀 볼 수 있을까?"

옷깃을 잡고 망설이던 별이가 잠시 후 손을 풀었다. 멍은 그새 더 검게 변해 있었다. 사진을 찍는데 손이 덜덜 떨렸다.

"별이는 세상에서 누가 가장 좋아?"

애써 웃으며 물었다.

"엄마가 가장 좋아요. 그리고 하늘 선생님."

"선생님도 우리 엄마가 세상에서 가장 좋고, 그다음에 별이가 좋아."

별이는 내 목을 감싸안고서 "내일 봐요, 선생님." 하고는 화장실을 나갔다. 목소리가 어제보다 조금 밝아져 있었다.

나는 교실 청소를 하고 교구 정리를 한 뒤 퇴근을 했다. 특별할 것 없는 보통의 하루였다.

아동 학대 신고한 사람은 신분이 다 밝혀진대.

가해자들이 막 해코지한다더라.

그냥 모르는 척 넘어가, 하늘아. 응?

버스를 기다리는데 윤하에게서 문자가 왔다. 윤하는 며칠 동안 내 걱정을 했던 모양이다. 집요하게 우리를 추적하던 그 사람과 고단하고 신산했던 이사 날들이 떠올랐다.

괜찮아질 거라던 김 선생님의 말도 떠올랐다. 곧 괜찮아진다는 그 말이 사실이면 얼마나 좋을까? 그냥 괜찮아지는 것은 없다. 김 선생님은 진심으로 한 말이었을지 몰라도 10원어치도 위로가 되지 않는 말이었다.

버스가 다가오는 게 보였다. 해가 제법 길어졌는지 아직 환했다. 봄이 서서히 오고 있었다.

나는 휴대폰을 열어 버튼을 눌렀다. 어린 날의 하늘이와 하늘이를 닮은 별이와, 하늘이 엄마 그리고 그녀를 닮은 별이 엄마를 위해서.

〈푸른 하늘에 별이〉는 내 머릿속을 떠나지 않았던 16개월 어린아이의 죽음에서 시작되었다. 많은 사람들이 눈물을 흘리며 안타까워했지만 아이를 다시 살려 낼 수는 없었다. 그 이후로 또 다른 아이들이 세상을 떠났다. 이대로 있을 수는 없었다. 무어라도 해야 했다. 나는 글을 쓰는 사람이니까, 내가 가장 잘할 수 있는 방식으로 세상에 작은 돌멩이를 던지고 싶었다.

하늘이는 엄마를 오해했다. 자신에게서 가장 좋은 것을 앗아가 버렸다고 원망했다. 하지만 진실을 알게 된 후에는 행동한다. 엄마를 위해, 별이를 위해, 그리고 자기 자신을 위해. 오해에 대한 반성을 직접 행동으로 대신한다.

'연대'라는 말을 좋아한다. 어깨동무를 해 주는 것, 함께 그 길을 가 주는 것, 혼자가 아니라고 속삭여 주는 것이 연대다. 사람은 불완전하기에 연대하며 살아야 한다. 이 작품을 읽고 여러분도 연대가 필요한 누군가에게 여러분이 할 수 있는 방식으로 한 발 더 다가섰으면 좋겠다. 주머니에 작은 돌멩이를 잔뜩 넣고 다니면 좋겠다.

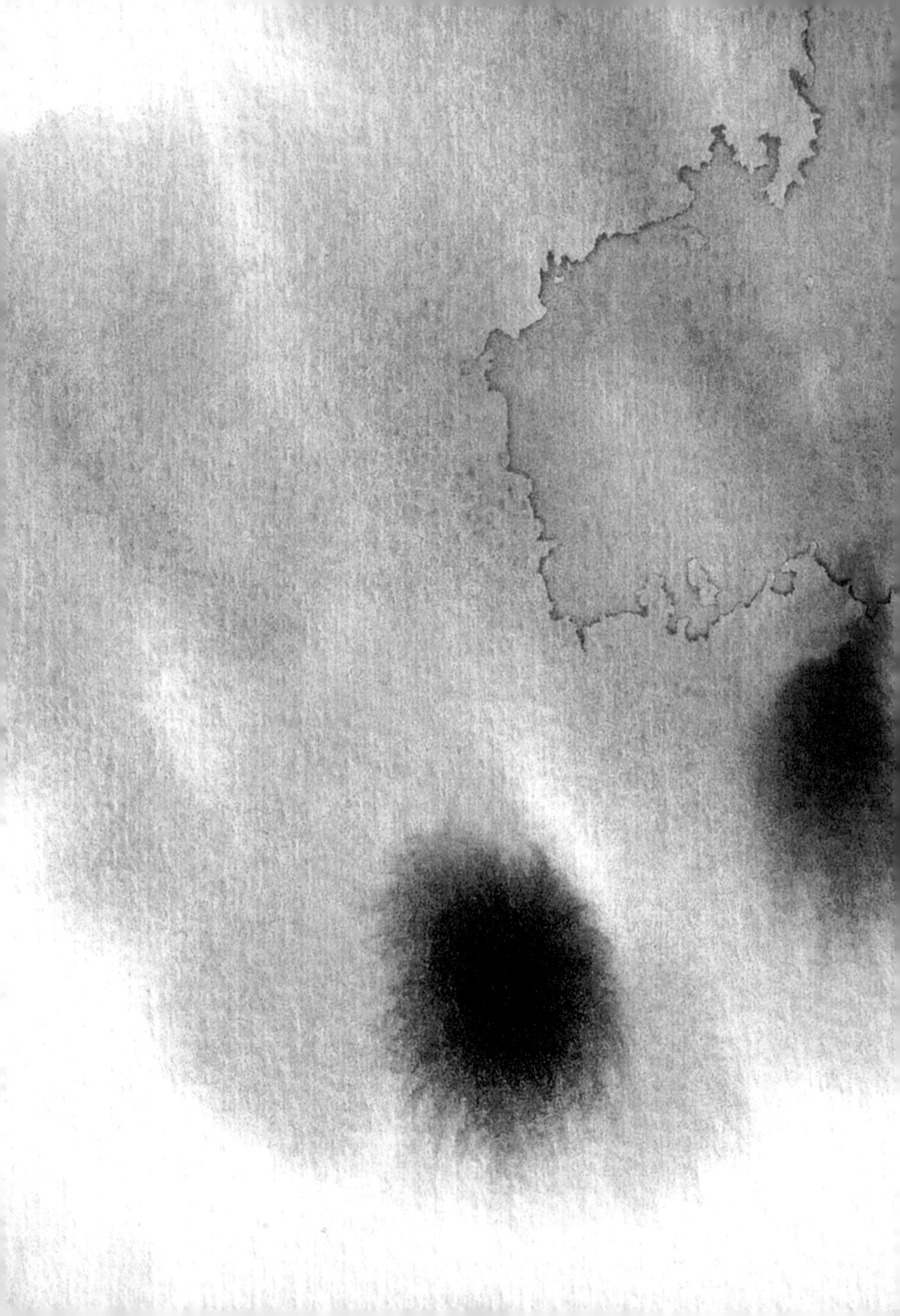

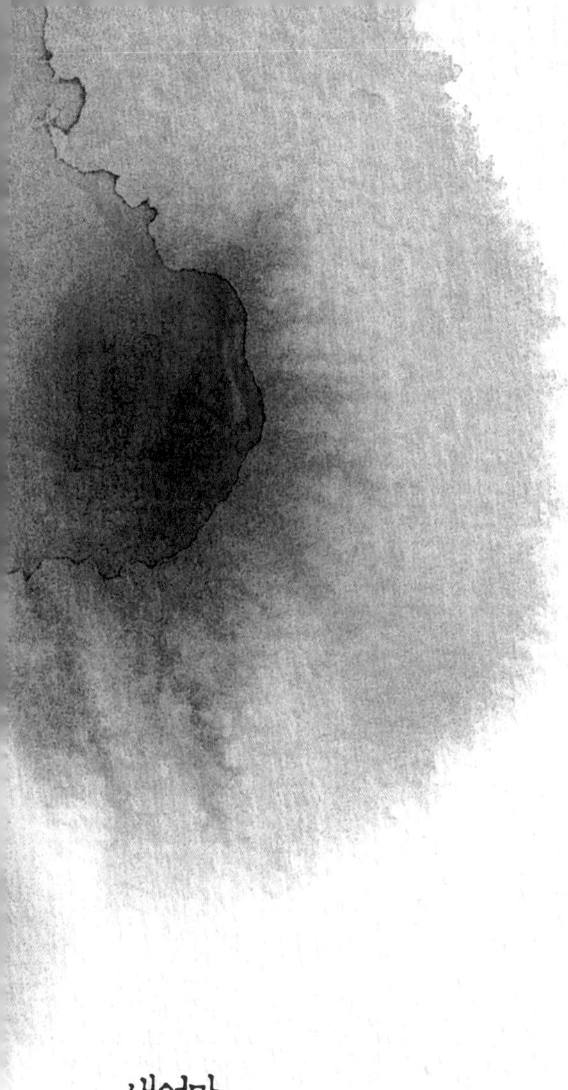

새엄마

정명섭

방문을 잠그고 의자에 앉아서 컴퓨터를 켠 효찬이는 '푸른 고래'라는 이름의 사이트에 들어갔다. 푸른 고래는 철저하게 익명으로 운영되는 사이트로 친한 사람들만 볼 수 있었고, 게시 글은 28시간이 지나면 사라졌다. 그리고 복사나 퍼 가는 게 불가능해서 말이 통하는 사람과 속마음을 이야기할 수 있었다. 편지나 일기 쓰듯이 글을 쓰면 댓글로 의견을 다는 형식이라 실시간 대화는 어렵지만 오히려 그 점이 더 편안하게 글을 쓸 수 있게 만들었다. 잠깐 앉아 있는 동안 모니터에 바다를 헤엄치는 거대한 푸른 고래가 보였다. 효찬이는 천천히 키보드를 눌렀다. 하얀색 텅 빈 화면에 검은색 글자가 새겨지기 시작했다.

– 아빠가 재혼한다. 배불뚝이에 머리도 반쯤 벗겨진 아저씨인 아빠와는 전혀 어울리지 않는 완전 미녀랑 말이다. 아빠보다 네 살 어리다고 했는데 처음 봤을 때 20대인 줄 알았다. 얼굴이랑 몸매는 완전 배우 스타일에 잘 웃기도 하고, 나도 잘 챙겨 줬다. 처음 만났을 때는 선물도 줬다. 그런데…….

커서가 깜빡거리는 걸 지켜보며 한숨을 쉬던 효찬이는 다시 키보드 위에 손가락을 올렸다.

-아무리 봐도 신뢰가 가지 않는다. 장차 대한민국 최고의 추리 소설가가 될 나의 촉과 감에 따르면 말이다. 분명, 뭔가가 있어.

이어서 뭐라고 더 쓰려던 효찬이는 문을 두드리는 소리에 황급히 SNS를 닫고 쓰고 있던 추리 소설을 띄웠다. 그리고 최대한 침착한 목소리로 말했다.

"왜요, 아빠?"

"할 얘기가 있으니 나와 봐라."

"네."

혹시나 아버지가 들어올까 봐 걱정했던 효찬이는 안도의 한숨을 쉬고는 방문 손잡이를 잡았다. 소파에 앉아 있던 아버지가 방에서 나오는 효찬이를 바라봤다. 소파에 등을 기댄 아버지의 배가 유난히 불룩해 보였다. 아버지는 효찬이가 소파에 앉자마자 말했다.

"희애 아주머니 말이다."

저도 모르게 마른침을 삼킨 효찬이는 아버지를 바라봤다. 불룩 나온 배를 손으로 어루만진 뒤 아버지가 덧붙였다.

"조만간 들어와서 같이 살 거다."

어느 정도 예상했지만 마음 한구석이 허전해졌다. 효찬이는 속마음을 감춘 채 조심스럽게 말했다.

"가을에 결혼한다고 하셨잖아요."

"그렇긴 한데, 내년에 네가 고3이 되면 이것저것 신경 쓸 게 많을 테니까 결혼식은 최대한 간소하게 하자고 그러더라. 하루라도 일찍 들어와서 널 케어해 주고 싶대. 그래서 신혼여행도 짧게 다녀오기로 했다."

말하는 내내 아버지의 얼굴에서 미소가 가시지 않았다. 그럴 만도 했다. 10년 전에 부모님이 이혼할 때가 떠올랐다. 초등학교도 입학하지 않았을 때지만 어제 일처럼 생생했다. 아버지가 성공한다고 장담했던 세 번째 사업이 망하자 어머니는 이혼을 하고 친척들이 사는 미국으로 가 버렸다. 어머니는 떠나기 전 금방 돌아와서 데려가겠다고 효찬이와 굳게 약속했다. 하지만 그 후에 아무런 연락도 오지 않았다. 돌아오지 않는 어머니는 효찬이가 사람에 대한 믿음을 잃고 의심부터 하고 보는 계기가 되었다.

어머니와 이혼 후, 진짜 영혼까지 싹싹 긁어모아서 만든 아주 적은 자금으로 시작한 네 번째 사업이 성공했다. 의료 관련 사업이었는데 종합 병원 예약을 대행해 주는 앱을 개발한 것이다. 아버지에게 얘기를 들었을 때에는 또 실패할 것이라고 생각했다. 하지만 효찬이의 예상과는 달리 대박이 났다. 예약을 기다리는 동안 심심해할 고객들을 위해 간단한 모바일 게임을 개발했는데 엄청난 인기를 끌었던 것이다. 아버지는 아주 영리하게도 몇 년 전 회사를 대기업에 비싼 가격으로 팔고 서울과 경기도의 빌딩들을 사들였다.

그러는 동안 효찬이네는 반지하에 살다가 지상으로 나왔고, 30평대 아파트로 갔다가 서울과 한강이 내려다보이는 90평대 아파트로 이사를 왔다. 이모라고 부르는 가정부와 삼촌이라고 부르는 운전기사도 생겼다. 순식간에 삶이 부유해지면서 학교도 강남으로 옮겼다. 그러면서 아버지 주변에 사람들이 넘쳐흐르기 시작했다. 특히, 젊고 예쁜 여자들이 아버지와 팔짱을 끼고 사진을 자주 찍었다. 효찬이는 속으로 이 여자들을 '새엄마 후보'라고 불렀는데 12번까지 세어 보고는 포기했다.

그러다가 희애 아주머니가 나타난 것이다. 아버지랑 같이 골프를 치다가 처음 만났는데 그 뒤로도 계속 만났다고 했다. 집에도 한 번 찾아왔고, 밖에서도 몇 번 만났다. 아버지가 재혼을 생각할 만큼 완벽했지만 그 완벽함이 의심이 취미이고 탐정이 장래 희망인 효찬이의 촉과 감을 건드렸다. 아버지가 성공한 후 돈을 노리고 달라붙은 사람들이 한둘이 아니었으니까 말이다. 그런 이유가 아니라면 사실 희애 아주머니같이 예쁜 여자가 못생긴 아빠와 사귈 리 없다는 게 효찬이의 생각이었다.

이런저런 생각에 빠져 있는 효찬이를 지켜보던 아버지가 가볍게 헛기침을 했다. 감동을 좀 받으라는 시선에 효찬이는 가볍게 고개를 끄덕거렸다.

"알겠어요."

"여러모로 생각이 복잡한 건 알겠지만 내 뜻에 따라 줬으면 좋겠구나."

"그럴게요. 이제 들어가도 될까요?"

아버지는 대답 대신 고개를 끄덕거리고는 소파 팔걸이에 올려 둔 휴대폰을 집어 들었다. 아마 희애 아주머니에게 기쁜 소식을 알려 주려고 하는 것 같았다. 효찬이는 방으로 돌아와서 아까 켜 둔 푸른 고래에 들어갔다. 그사이 기쁘게도 '미스터리 맨'이 댓글을 달아 줬다. 푸른 고래에서 '현자' 등급인 그는 대형 로펌의 변호사인데 명문대에 해외 유학파 출신이라 그런지 명확하게 조언을 해 줬다. 그래서 효찬이도 그의 말을 신뢰하는 편이었다.

– 네 인생에 새로운 사람이 끼어드는구나. 네 마음이 어떨지는 모르겠지만 글의 뉘앙스로 봐서는 그리 좋지는 않아 보이는구나.

댓글 아래 적힌 시간을 보니까 방금 전에 업로드한 게 분명했다. 효찬이는 잽싸게 댓글을 달았다.

– 너무 완벽하거든요. 지난번에 그러셨잖아요. 도화지처럼 깨끗하고 완벽한 사람은 존재하지 않는다고요.

– 물론이지. 사람은 하루에도 몇 번씩 거짓말을 하는 존재야. 타인에게 완벽하게 비쳐지는 존재는 대개 본모습을 숨기고 있는 거지. 만약 새엄마가 될 사람이 다른 목적으로 접근했다면 막는 게 맞을 거야.

드디어 원하는 대답을 들은 효찬이는 재빨리 댓글을 달았다.

– 아빠가 완전 푹 빠지신 거 같아요. 어떻게 해야 하죠?

– 아버지의 마음을 바꿀 만한 증거를 찾아야지. 만약 네가 원한다면 말이야.

미스터리 맨의 댓글을 본 효찬이는 바로 댓글을 달았다.

– 어떻게요?

– 요즘 사람들은 정보를 대놓고 세상에 알리고 있어. 어떤 걸로 한다

고 그랬지?

- SNS요.

- 정답! 그 사람 SNS를 뒤져 봐. 뭐든 단서가 나올 거야.

고맙다는 댓글을 남긴 효찬이는 곧바로 희애 아주머니의 이름을 검색했다.

"윤희애였지? 동화 작가라고 했고."

인스타그램과 페이스북을 뒤지다가 마침내 동화 작가 윤희애라는 계정을 찾았다. 둘 다 있었지만 인스타그램을 좀 더 활발하게 했고, 페이스북은 공유하는 수준이었다. 골프채를 들고 환하게 웃는 모습을 보고 확신을 한 효찬이는 가지고 있는 가짜 계정을 이용해 친구 신청을 했다. 다행히 금방 친구 신청을 받아 주면서 게시물을 볼 수 있었다. 효찬이는 게시물을 하나씩 확인해 나갔다. 골프를 치는 사진과 친구들과 놀러 다니면서 찍은 꽃 사진, 그리고 가끔 동료 작가들이 쓴 책을 소개하는 사진이 보였다. 그러다가 인스타그램에서 눈에 띄는 사진을 찾았다.

"북 카페?"

희애 아주머니는 서울의 서촌에서 북 카페를 운영하고 있었다. 그러고 보니 지난번에 집에 왔을 때에도 직접 로스팅한 커피

원두라며 선물로 가져왔었다. 카페 이름을 검색해서 위치를 확인한 효찬이는 팔짱을 낀 채 모니터를 바라보다가 책상에 올려 둔 휴대폰을 집었다. 그리고 곧장 경민이에게 카톡을 보냈다.

– 뭐 하냐, 왓슨?

잠시 후 1이 사라지고 답이 왔다.

– 공부 중
– 정말?
– 그럼, 나 이번에 반에서 15등 안에 드는 게 목표야.

경민이가 보낸 카톡을 본 효찬이는 저도 모르게 피식 웃고 말았다. 둘은 여러모로 닮은 구석이 많았다. 벼락부자가 된 부모님 덕분에 신도시인 월령으로 이사를 와서 부유한 집안의 아이들이 다니는 고등학교로 전학했다. 하지만 특출하지 못한 둘은 원래부터 끈끈하던 학생들 사이를 파고들지 못했다. 그래서 둘은 자연스럽게 친해졌지만 둘의 사이도 구분이 되었다. 큰돈을 받고 대기업에 회사를 매각한 효찬이의 아버지와 달리 경민이 부모님은

TV에 나와서 유명해진 코다리해물찜 가게를 운영했다. 물론, 월령시에 큰 가게를 짓고 운영을 한다지만 효찬이 아버지와는 차이가 났다. 거기다 경민이는 어수룩해서 이것저것 시키기가 편했다. 가끔 반항하긴 하지만 어차피 친구가 효찬이뿐이어서 금방 접고 들어왔다. 잠시 웃던 효찬이는 바로 카톡을 보냈다.

– 주말에 나랑 서울 갈래?

– 뜬금없이?

– 왓슨은 셜록 홈스를 그림자처럼 따라다녀야 한다고 했지?

– 나 내일 수업 끝나고 서울 가.

– 왜?

– 외할머니 병문안. 무슨 사건이라도 있는 거야?

– 만나서 설명할게.

몇 시에 어디서 만날지 알려 주고는 그날 보자는 글을 남겼다. 침대에 누운 효찬이는 천장을 올려다보면서 생각에 잠겼다가 스르르 눈이 감겼다. 주말이 되자 아버지는 예전에 사업할 때 같이 일했던 부하 직원들을 만나러 가셨다. 가정부 이모도 집으로 가면서 자유로워진 효찬이는 곧장 필요한 것들을 챙겨서 밖으로 나왔다. 여름 방학이 끝난 지 얼마 안 되어서 아직 더위가 가시지 않았지만 움직일 만했다. 정말 오랜만에 버스를 타고 지하철역으로 갔다.

“어디로 오라고 했지?”

“경복궁역 3번 출구라고 했잖아. 벌써 까먹은 거야?”

“확인해 본 거지. 언제쯤 도착해?”

“지금 출발했어. 한 시간 정도?”

“그럼 나도 시간 맞춰서 갈게.”

“알았어.”

통화를 끝내자 지하철이 들어왔다. 냉큼 빈자리에 앉은 효찬이는 창밖 풍경을 구경하면서 서울로 향했다. 지하철을 갈아타고 경복궁역에 내려서 계단을 올라가자 선글라스를 끼고서 한쪽 어깨에 가방을 멘 경민이가 보였다. 작은 키에 호리호리한 몸매, 그리고 눈꼬리가 처진 경민이는 터덜거리며 걸어왔다. 키가 크고 눈꼬리가 올라간 효찬이와는 여러모로 비교되는 생김새에 성격도 달랐지만 서로 처지가 비슷한 데다가 추리 소설을 좋아한다는 공통점이 있었다. 파도처럼 오가는 사람들 사이에서 효찬이는 손을 들어서 아는 척을 하고는 얼른 서촌 쪽으로 걸어갔다. 가방을 메고 따라오던 경민이가 물었다.

"오늘 할 일이 뭔데?"

"어떤 아주머니의 정체를 까발리는 거."

"그 아주머니는 누구?"

이미 알아차린 것 같은데 모르는 척 물어보는 경민이가 너무나 얄미웠다. 그래도 어쩔 수 없었다. 효찬이는 희애 아주머니와 몇 번 만났기 때문에 최대한 변장을 하고 몰래 숨어서 감시해야 했지만, 경민이는 만난 적이 없어서 쉽게 접근할 수 있었다. 한옥과 관광객이 가득한 서촌의 구불구불한 골목길을 걷다가 마침내 목적지인 희애 아주머니가 하는 북 카페에 도착했다. 한옥을 리모델링한 북 카페는 사람들로 북적거렸다. 다행히 군데군데 빈자리가 있어서 앉을 수 있었다. 경민이가 북 카페 내부를 이리저리 살펴보면서 말했다.

"여긴 왜 이렇게 어두워?"

"선글라스를 쓰고 보니까 그렇지."

한심스럽다는 말투로 대꾸한 효찬이는 커피 머신 옆에 서 있는 희애 아주머니를 보고는 얼른 고개를 돌렸다. 긴 원피스에 검은색 앞치마를 두른 희애 아주머니는 젊은 남자 직원과 함께 주문을 받고 커피를 만드는 중이었다. 일단 지켜봤는데 커피 내리는 거나 주문받는 거 모두 꽤 익숙했다. 카페 한쪽 벽에는 손님들이 커피나 음료를 마시면서 자유롭게 읽을 수 있는 책들이 쭉 꽂혀 있었다. 그중에는 희애 아주머니가 쓴 그림책과 동화책도 있었다. 그걸 본 경민이의 눈이 동그래졌다.

"《기차 할아버지와 뿡뿡이 할머니》? 나 이 책 읽어 봤어."

"너도 책을 읽은 적이 있었냐?"

"요즘은 게임밖에 안 하지만 옛날에는 책도 읽었어. 어! 《가랑잎 아가씨》도 이분이 쓰신 거네? 초등학교 때 작가님이 학교에 오신 적이 있었어."

효찬이는 신이 나서 떠드는 경민이가 못마땅했다.

"그만 좀 하라고! 우린 감시하러 여기 온 거야."

"솔직히 새엄마가 마음에 안 들어서 그런 거잖아. 저분이 새엄마라니 난 부럽다, 부러워."

경민이의 말에 효찬이는 얼굴을 찡그렸다.

"됐어. 네가 뭘 안다고?"

"너야말로 그 미스터리 맨인가 누군가가 시키는 대로 하잖아."

"시키는 대로 한 적 없어. 조언을 받을 뿐이지. 얼른 가서 주문이나 해. 나는 복숭아아이스티."

경민이가 주문을 하러 키오스크로 가는 동안 효찬이는 생각에 잠겼다. 푸른 고래라는 사이트에 빠져 지내다가 미스터리 맨을 알게 되었다. 남자인지 여자인지, 몇 살인지, 직업은 무엇인지 몰랐지만 현실적이고 날카로운 조언을 해 줬다. 주로 남을 믿지 말라는 것과 자신의 운명은 스스로 개척해야 하고, 부모에게도 의존해서는 안 된다는 얘기였다. 어머니가 떠난 이후 남을 잘 믿지 못하게 된 효찬이에게는 그야말로 귀에 쏙 들어오는 조언이었다. 푸른 고래에서 미스터리 맨은 많은 사람에게 유효한 조언들을 해 주는 것으로 유명했다. 정체에 대해서도 이런저런 얘기가 오갔지만 효찬이는 크게 관심을 가지지 않았다. 자신에게 필요한 얘기를 해 주는 것으로 충분했으니까 말이다.

그 와중에 경민이가 음료를 가지고 왔다. 희애 아주머니는 여전히 웃으면서 주문을 받는 중이었다. 그걸 보면서 경민이는 부럽다는 말을 연신 해 댔다. 하지만 효찬이는 모든 게 못마땅했다. 다른 젊은 여자들처럼 아버지의 재산을 노리고 접근한 게 분명하다고 생각했고, 미스터리 맨도 거기에 동의했다. 게다가 너무 너무 잘해 주고 성격도 좋았다. 아니, 좋은 척하는 게 분명했다. 그런 사람이 어머니의 빈 자리를 채우는 게 너무 싫었다. 특히 아버지를 비롯해서 경민이까지 모두 희애 아주머니를 좋아한다는 것을 받아들이고 싶지 않았다. 종이 빨대를 잘근잘근 씹으면서 고민에 빠진 효찬이와 달리 경민이는 책꽂이에 있는 그림책과 동화책을 가져와서 읽기 시작했다. 그걸 떨떠름하게 바라보던 효찬이는 화장실에 가려고 일어났다. 화장실은 커피를 만드는 공간 옆에 있어서 들킬까 걱정했다. 다행히 젊은 남자 직원과 얘기하느라 이쪽을 바라보지 않았다. 조심스럽게 옆을 지나면서 힐끔 바라보던 효찬이는 뭔가 부자연스러운 걸 발견했다.

"어?"

잘못 봤나 싶어서 다시 쳐다본 효찬이는 분명하게 볼 수 있었다. 희애 아주머니와 젊은 남자 직원이 서로의 손을 살며시 잡고 있는 걸 말이다. 잘못 본 줄 알고 자세히 봤는데 그 와중에 손을 떼기는 했지만 금방 다시 잡았다. 눈에 띌까 봐 얼른 화장실로 들어간 효찬이는 문을 닫으며 중얼거렸다.

"진짜로 손을 잡았는데?"

거기다 희애 아주머니는 활짝 웃기까지 했다. 거울을 쳐다보며 생각에 잠겨 있던 효찬이는 결론을 중얼거렸다.

"둘이 보통 사이가 아닌 게 틀림없어."

아버지와 같이 있던 희애 아주머니 모습 위로 젊은 남자와 손을 잡고서 웃고 있던 모습이 겹쳤다. 완벽하리라 생각했던 모습에서 균열을 찾은 것이다. 주먹을 불끈 쥔 효찬이는 문을 열고 나와서 얼른 경민이가 있는 자리로 돌아갔다. 둘은 손을 잡지는 않았지만 여전히 웃으며 얘기를 나누는 중이었다. 흡사 연인처럼.

주스를 마시며 책을 읽고 있던 경민이는 효찬이가 맞은편에 앉자 고개를 들었다.

"화장실에서 뭐라도 본 거야?"

효찬이는 턱으로 희애 아주머니를 가리키면서 대답했다.

"화장실이 아니라 저기."

"왜? 열심히 일하고 계시는데."

"둘이 손잡는 걸 봤어. 화장실 가면서."

"진짜? 여기선 안 보였는데?"

경민이의 대꾸에 효찬이가 힘주어 대답했다.

"안 보이게 아래로 내려서 잡았어. 수혁이랑 지안이가 비밀 연애 하는 것처럼 말이야."

"에이, 나이 차이도 좀 나는 것 같은데?"

여전히 경민이가 믿기지 않는다는 말투로 얘기하자 효찬이가 얼굴을 찡그렸다.

"내가 진짜 봤다고."

"목소리 낮춰. 창피해 죽겠어."

경민이의 잔소리를 들은 효찬이가 혹시나 하는 마음에 희애 아주머니를 바라봤다. 다행히 주문을 받고 커피를 만드느라 정신이 없어 보였다. 그런데 그 와중에도 컵을 가져다주는 젊은 남자 직원이 말을 걸자 고개를 돌려서 웃었다. 아버지나 효찬이에게 보여 준 것과는 전혀 느낌이 다른 미소였다. 그걸 본 효찬이는 질투와 의심이 뒤엉켜 버렸다.

"어쨌든 둘 사이가 보통은 아닌 거 같아. 증거를 찾아 보자."

"어떻게? 가서 둘이 무슨 사이냐고 물어보게?"

"빼박인 증거를 찾아야지. 거짓말을 못 하게 말이야."

"그걸 찾아서 뭐 하게?"

경민이의 물음에 효찬이는 당연하다는 듯 대답했다.

"진실을 밝혀야지."

"네 아버지에게? 그래서 재혼을 못 하시게 하려고 말이야?"

"아니라고!"

목소리를 높이는 바람에 옆자리에서 웃고 떠들던 여자들이 고개를 돌렸다. 애써 굳은 얼굴을 편 효찬이가 덧붙였다.

"진실을 밝히려는 것뿐이야. 판단은 아버지가 할 거고."

"그게 그거지."

"만약 희애 아주머니가 우리 아버지 돈을 노리고 접근한 거라면? 진짜 애인은 따로 있는데 말이야. 딱 추리 소설 각이야."

"헛소리 좀 그만해. 설사 그렇다고 해도 그건 네 아버지가 알아서 하실 문제야."

"그 판단을 내릴 증거를 찾자는 거야. 그래야 올바른 판단을 내리지."

"아무튼 난 빠질래. 잘해 봐."

주스를 다 마신 경민이가 빈 잔을 앞에 두고 일어났다. 문을 열고 북 카페 밖으로 나가는 경민이를 보면서 효찬이는 주먹을 불끈 쥐었다. 자신의 판단이 틀리지 않았다는 것을 확신했지만 주변을 설득할 증거를 찾아야만 했다.

"일단 가장 좋은 건 사진이겠지? 빼도 박도 못하는 증거 사진."

경민이가 가 버렸으니 직접 찍어야만 하는 상황이었다. 그래서 조심스럽게 쳐다봤는데 낌새라도 챘는지 둘은 따로 떨어져서 일을 하고 있었다. 효찬이는 휴대폰으로 희애 아주머니의 인스타그램에 들어갔다. 그리고 아까 살짝 손을 잡은 남자를 찾았다. 몇 년 전 게시물까지 싹 다 뒤져 봤지만 그 남자는 나오지 않았다.

"SNS에 없는 걸 보면 존재를 감추는 게 분명해."

의심은 확신으로 변해 갔다. 희애 아주머니는 젊은 남자 직원과 사랑하는 사이가 확실했다. 그걸 숨기고 재산이 많은 아버지와 만나는 중이었다. 효찬이는 희애 아주머니의 본모습을 찾았다는 생각에 짜릿함과 희열을 느꼈다. 일단 자랑을 하기 위해 푸른 고래에 들어가 글을 남겼다.

- 드디어 실체를 찾아냈다. 그녀는 애인이 있었지만 그걸 감추고 우리 아빠와 만나는 중이었다. 처음부터 너무 잘해 주고 상냥해서 이상하게 생각했는데 목적이 있었던 거다. 직접 눈으로 목격했지만 정말 참담하고 씁쓸하다. 이제 어떡하면 좋을까?

질문처럼 마무리를 하긴 했지만 사실 결론은 이미 정해 놓은 상태였다. 휴대폰을 남들이 보지 못하게 탁자 위에 뒤집어 놓고 빨대로 음료를 한 모금 마셨다. 그리고 일하고 있는 희애 아주머니와 남자 직원을 곁눈질로 훔쳐봤다. 하지만 아까처럼 몰래 손을 잡거나 서로를 바라보며 웃지는 않았다. 아까 사진을 찍어 놓을 걸 하면서 아쉬워하던 효찬이에게 휴대폰 알림음이 들렸다. 휴대폰 화면에 미스터리 맨이 남긴 댓글이 보였다.

- 진실에 다가간 걸 축하해. 하지만 주장이 진실이 되려면 명백한 증거가 있어야만 해. 일단 당사자도 반박할 수 없는 증거를 찾아. 사람들은 남의 일을 판단할 때 증거를 중시하니까 말이야.

틀린 말이 하나도 없는 정확한 지적이었기에 효찬이는 고맙다는 댓글을 남겼다. 그리고 일하는 두 사람을 훔쳐봤다. 아까처럼 붙어 있지는 않았지만 떨어져서 일하면서도 서로를 향해 미소를 날렸다. 그 모습을 효찬이는 놓치지 않고 보았다. 30분 정도 더 살펴보던 효찬이는 남자 직원이 벽시계를 힐끔 바라보더니 앞치마를 벗는 것을 봤다. 서랍에서 파란색 모자를 꺼내 쓴 남자 직원은 희애 아주머니에게 다가가 가볍게 껴안은 다음 카페 밖으로 나갔다.

잠시 고민하던 효찬이는 남자 직원을 미행하기로 결심하고 몸을 일으켰다. 밖으로 나가려는데 희애 아주머니가 남자 직원이 벗어 놓은 앞치마를 정리하는 게 보였다. 오른쪽 가슴에 남다니엘이라는 이름표가 붙은 걸 보고 효찬이는 얼른 밖으로 나왔다.

다행히 파란 모자를 쓴 남다니엘은 서촌의 내리막길을 걸어가는 중이었다. 주말이라 사람들이 많아서 눈에 띄지 않고 쫓아갈 수 있었다. 효찬이는 천천히 남다니엘의 뒤를 따라갔다. 걸어가면서 휴대폰을 꺼낸 남다니엘은 간간이 웃으면서 통화를 했다. 최대한 가까이 가서 들어 보니 익선동이라는 지명이 나왔다. 아마 친구들과 그곳에서 만나기로 한 것 같았다. 큰길로 나온 남다니엘이 정류장에 서 있는 걸 본 효찬이는 근처에서 서성거렸다.

버스가 도착하자 사람들이 우르르 타기 시작했는데 그중에 남다니엘도 있었다. 조금 떨어진 곳에서 지켜보던 효찬이도 서둘러 버스에 올라탔다. 주말이라 그런지 생각보다 승객들이 많아서 겨우 탈 수 있었다. 고개를 옆으로 뺀 효찬이는 내리는 문 근처에서 있는 남다니엘을 발견했다. 키가 큰 편이라 승객들 사이에서도 한눈에 보인 것이다.

한복을 입은 관광객들로 가득한 광화문 광장을 가로지른 버스는 안국역을 지나 멈췄다. 많은 승객들이 내렸는데 그중에 남다니엘도 있었다. 승객들을 비집고 간신히 버스에서 내린 효찬이는 한옥 옆 골목길로 접어드는 남다니엘을 따라갔다. 좁은 골목길에 사람들이 넘쳐 나는 바람에 하마터면 놓칠 뻔했다. 다행히 키가 큰 데다가 파란색 모자를 쓰고 있어서 눈에 잘 띄었다. 효찬이는 한 손에 휴대폰을 쥔 채 남다니엘의 뒤를 따라갔다. 조금 더 걷자 오래된 한옥들이 보였다. 한복을 입은 여자들이 까르르 웃으며 지나갔고, 외국인 관광객들이 셀카 봉을 들고 웃으며 사진 찍는 게 보였다. 그들 사이를 지나 남다니엘을 바짝 따라붙었다.

사람들이 너무 많아서 놓칠까 봐 걱정했지만 다행히 남다니엘은 얼마 가지 않아 조명이 반짝거리는 술집으로 들어갔다. 따라

들어가려던 효찬이는 입구에서 걸음을 멈췄다.

"미성년자라 못 들어가잖아."

입구에서 어떻게 할지 고민하는데 뒤에서 안 들어갈 거면 비키라는 소리가 들렸다. 고개를 돌리자 팔짱을 낀 커플이 보였다. 어깨를 움츠린 효찬이는 옆으로 물러났다. 주변을 둘러보니 바로 옆에 아이스크림과 커피를 파는 카페가 있었다. 둘 다 외부 테라스가 있었는데 마침 남다니엘이 아이스크림 가게 테라스와 이어지는 자리에 앉았다. 두 가게의 테라스 사이에 철제 펜스가 있긴 했지만 효찬이는 곧장 카페 안으로 들어가서 그곳에 자리를 잡았다. 그리고 서둘러 아이스크림을 하나 주문하고 자리로 돌아왔다. 그사이에 남다니엘의 친구들이 도착하면서 술자리가 벌어졌다. 효찬이는 남다니엘을 등지고 앉은 채 아이스크림을 천천히 먹었다. 모두 목소리가 엄청 커서 몇몇 이야기는 잘 들을 수 있었다. 친구들 중 누군가 남다니엘에게 물었다.

"요즘 카페에서 일한다며? 어때?"

"편해. 사장이……."

때마침 지나가는 한 무리의 사람들이 소리를 지르는 바람에 뒷말은 듣지 못했다. 하지만 어떤 말을 했을지 상상할 수 있었다. 카페 주인인 희애 아주머니와 연인 관계라서 편하게 일한다는 얘기를 하는 것이리라. 뒤이어 다른 목소리가 나이 든 여자가 그렇게 좋냐며 낄낄거리는 소리가 들렸기 때문이다. 남다니엘은 아니라고 했지만 웃음을 그치지 않았다. 효찬이는 휴대폰의 음성 녹음 기능을 켜고 최대한 바짝 붙은 채 얘기에 귀를 기울였다.

친구들은 남다니엘이 나이 든 희애 아주머니와 연애를 하는 게 궁금했는지 이것저것 질문을 던졌다. 어쩜 그렇게 미인이냐는 말이 오가는 것으로 봐서는 사진도 보여 준 것 같았다. 남다니엘은 실실 웃으면서 대답했지만 만족스럽지 않았는지 좀 더 채근하는 소리가 들렸다. 하지만 결정적인 얘기가 나오려는 순간마다 주변에서 소음이 나서 제대로 듣지 못했다. 거기다 4인석을 혼자 차지하고 있으려니 눈치가 보였다. 결국 효찬이는 다른 방법을 쓰기로 했다.

'탁자 아래 휴대폰을 놔두고 자리를 옮겼다가 나중에 회수해야겠어.'

주변을 둘러본 효찬이는 녹음 기능을 켜 둔 채로 휴대폰을 테라스 철제 난간 아래에 있는 화분들 사이에 쑤셔 넣고는 계산을 하고 밖으로 나왔다. 나중에 휴대폰을 놓고 왔다고 얘기하고 찾아가면 될 거 같았다. 효찬이는 멀리 가지 못하고 술집이 보이는 거리 모퉁이에 서서 남다니엘과 친구들을 지켜봤다. 여전히 웃고 떠들면서 건배를 하고 술을 마셨다.

그때 거친 기침 소리와 함께 투박한 말소리가 들렸다.

"미안한데 내가 모아 놓은 박스를 밟고 있어."

효찬이가 놀라서 바라보자 낡은 옷차림에 야구 모자를 쓰고서 구부정하게 서 있는 할아버지가 보였다. 그리고 그 할아버지의 말대로 효찬이는 접어 놓은 박스들을 밟고 있었다.

"죄송합니다."

효찬이는 얼른 사과를 하고 옆으로 비켜섰다. 박스를 들어서 리어카에 실은 할아버지가 남다니엘을 바라보는 효찬이에게 물었다.

"누굴 기다리니?"

"아, 아뇨. 그냥……."

말끝을 얼버무린 효찬이는 다른 곳으로 자리를 옮기고 싶었다. 하지만 술집을 지켜보기 가장 좋은 장소라서 벗어나기도 애매했다. 그런 효찬이를 물끄러미 바라보던 할아버지가 리어카에 걸터앉았다. 그러곤 효찬이와 같은 방향을 바라봤다. 할아버지가 천천히 입을 열었다.

"누굴 쫓아온 모양이구나."

화들짝 놀란 효찬이가 바라보자 할아버지는 가볍게 웃었다.

"누굴 찾아왔거나 기다렸다면 휴대폰으로 연락했겠지. 그런데 5분 넘게 저길 바라만 봐서 말이다."

"그, 그게……."

"날이 덥긴 하지만 한여름은 아닌 데다 해가 떨어졌는데도 목덜미에 땀방울이 맺혔어. 긴장하고 있다는 뜻이지. 그리고 보통 나랑 마주치면 멀찍이 떨어져 서기 마련인데 옆으로 딱 한 걸음 옮겨서 계속 바라보고 있는 것도 그렇고 말이야."

하나도 틀린 게 없는 추측이라 효찬이는 놀란 눈으로 바라볼 수밖에 없었다. 그런 효찬이의 표정을 본 할아버지가 몇 개 남지 않은 이를 드러내며 웃었다.

"지금은 폐지나 줍는 신세지만 한때는 이름을 날리던 형사였단다."

"정말이요?"

놀란 효찬이의 반문에 노인은 눈빛을 반짝거렸다.

"그럼! 예전에 MBC에서 방영하던 〈수사반장〉이라는 드라마 자문도 한 적이 있었지."

전설적인 수사 드라마와 관련이 있다는 얘기에 효찬이는 정신을 차리지 못할 정도로 빠져들었다. 그런 효찬이에게 노인이 말했다.

"미행의 기본은 말이야, 상대방이 눈치채지 못하는 거란다. 그래서 우리 때는 옷도 바꿔 입고 무전기로 서로 위치를 알려 주면서 쫓아갔단다. 열이면 열, 눈치채지 못했어."

"무전기는 어떻게 감추셨어요?"

"신문지나 잡지로 둘둘 감았지."

그러고는 젊은 시절 얘기를 들려줬다. 수사 연구를 할 때 본 사건들을 실제로 듣자 효찬이는 애초에 이곳에 온 목적도 잊어버리고 귀를 기울였다. 그런 효찬이를 본 노인이 심각한 표정으로 말했다.

"그런데 말이야……."

효찬이가 바라보자 노인이 입을 열었다.

"지금까지 살아오면서 후회되는 게 있어."

"그게 뭔데요?"

"남을 믿지 않은 거. 오랫동안 사람들을 의심하고 수사를 하면서 나쁜 버릇이 생겼어."

"어떤 버릇이요?"

"내심 결론을 내려 놓고 상대방을 끊임없이 의심하고 또 의심했지."

효찬이는 마치 자신에게 하는 얘기 같아서 속으로 뜨끔했다.

하지만 속내를 감추고 애써 침착하게 말했다.

“그거야 의심받을 만한 행동을 한 사람 잘못 아닐까요?”

“살면서 느낀 건데 완벽한 사람은 없어. 그걸 어떤 의도가 있다고 보고 파고들면서 사람들과 멀어졌지. 특히…….”

바닥을 내려다보며 한숨을 크게 내쉰 노인이 덧붙였다.

“가족들이랑 사이가 나빠졌단다. 아내랑 자식들까지 의심하게 됐거든.”

“무슨 일로요?”

“날 따돌리고 자기들끼리 어디론가 떠나려 한다고 착각했어. 그래서 다그치고 미행하고 주변을 캐고 다녔지. 결국 가족들과의 관계가 끝장났단다. 그제야 깨달았어. 내가 잘못된 조언을 듣고 그릇된 판단을 내렸다는 걸 말이야.”

노인의 얘기를 들은 효찬이는 소름이 오싹 돋았다.

“잘못된 조언이라고요?”

“그래, 절친한 동료였는데 이런저런 일로 상의를 하니까 자기 생각을 들려줬어. 나중에 생각해 보니까 터무니없는 억측이었는데 그때는 마치 귀신에 홀린 것 같았단다.”

효찬이는 노인의 과거가 꼭 자신의 현재인 것만 같아서 불안감을 느꼈다. 하지만 오늘 보고 들은 것들은 전부 명백한 사실이었다. 마지막 증명을 하는 일만 남았다고 생각하던 참에 노인의 목소리가 귀를 파고들었다.

“돌이켜 보니 내 인생은 실수의 연속이었어. 만약 내가 차분하고 냉정하게 생각하고 결정했다면 오늘날 이렇게 살지는 않았겠지. 너를 보니까 내 젊은 시절이 떠올라.”

“제가 할아버지처럼 될 거라고요?”

다소 딱딱한 물음에 노인은 쓴웃음을 지었다.

“어떤 일인지는 모르겠지만 이미 결론을 내려 놓고 증거를 찾는 거 같구나. 그러면 모든 것들이 증거로 보일 거다. 주변의 충고는 잔소리처럼 들리고 객관적으로 봐야 할 것들이 제대로 보이지 않지. 얘야…….”

노인이 아까보다 더 깊게 한숨을 내쉬며 덧붙였다.

“우리는 종종 답을 틀리곤 한단다. 그런데 왜 틀렸는지 이해하면 다시 틀리지 않아. 하지만 왜 틀렸는지를 생각하지 않으면 계속 틀리게 될 거야. 반복해서 틀리면 시험이 긴 인생을 전부 망치는 거야. 돌이킬 수 없는 지점까지 간 다음에야 잘못을 알아차리지. 그때는 너무 늦어. 너무나 늦어.”

마음을 울리는 노인의 이야기에 효찬이는 천천히 처음부터 생각해 봤다. 사실, 희애 아주머니가 아버지의 돈을 보고 좋아하는 척했으리라는 것은 그냥 추측일 뿐이었다. 자기와 만났을 때 친절하게 대해 준 것도 꾸민 게 아니라 본래 마음일 수 있었다. 그런데 명백한 증거도 없이 아주머니의 마음을 가짜라고 생각해 버리고 자기 생각을 입증할 증거를 찾으러 여기까지 온 것이다. 효찬이는 순간적으로 자기가 잘못된 판단을 했다는 생각이 들었다. 하지만 애써 고개를 저으며 부정했다.

"아니에요. 저는 냉정하고 객관적으로 판단했다고요."

효찬이의 반발에 노인은 안타까운 표정을 지었다.

"냉정이나 객관은 인간의 마음과 거리가 먼 편이지. 어떤 일인지는 모르겠지만 부디 잘 생각하고 판단하려무나. 나처럼 되면 돌이킬 수 없어."

노인의 간곡한 얘기에 효찬이는 주먹을 불끈 쥐고 소리쳤다.

"할아버지가 뭘 안다고 그러세요!"

지나가던 사람들이 효찬이의 목소리를 듣고 깜짝 놀랐다. 노인은 서글픈 표정으로 효찬이를 바라보다가 리어카를 끌고 사라졌다. 구부정한 어깨에 걸머진 인생의 무게감이 느껴졌다. 효찬이는 노인이 사라진 이후에도 그 자리에서 남다니엘을 지켜봤다. 그사이에 술을 굉장히 많이 마셨는지 다들 얼굴이 빨갛게 변했다. 목소리는 더욱 커져서 길 건너편에 있는 효찬이에게도 들릴 정도였다. 대부분은 거친 말과 웃음소리였다. 그 모습을 보면서 효찬이는 아까 가졌던 의문들을 이어 갔다.

'남자 직원과 희애 아주머니가 친근해 보인 건 맞아.'

하지만 그것으로 둘이 깊은 관계라고 확신할 수 있는지 속으로 되묻자 아까와는 달리 쉽게 대답할 수 없었다. 무엇보다 아버지와 희애 아주머니가 서로 진짜로 좋아하고 있다면 지금 자기가 하는 행동은 훼방에 불과하다는 생각이 같이 들었다. 어머니의 빈 자리를 낯선 사람이 채우는 것에 대한 본능적인 두려움이 희애 아주머니가 돈을 보고 아버지에게 접근했다는 확신으로 변해 버렸을지 모른다는 의문이 든 것이다. 그 과정에서 푸른 고래에 여러 번 글을 올렸고, 미스터리 맨의 댓글을 읽으면서 의혹이 확신으로 굳어져 버린 것이다. 하지만 무너지고 싶지는 않았다. 지금까지 쌓아 온 의심들이 신기루 같은 것이라는 걸 믿고 싶지 않았다. 머리를 감싸 쥔 효찬이가 중얼거렸다.

"진짜 미치겠네."

머리가 아파서 더 이상 있을 수 없을 것 같았다. 집으로 돌아가려던 효찬이는 문득 아이스크림 가게에 휴대폰을 두고 나온 것이 떠올랐다. 아이스크림 가게에 가서 휴대폰을 놓고 왔다고 얘기하고는 테라스로 나갔다. 최대한 남다니엘의 눈을 피해 화분

사이에 끼워 놓았던 휴대폰을 챙겼다. 그리고 급하게 돌아서는데 누군가와 어깨를 부딪쳤다. 효찬이도 덩치가 있는 편이었지만 세게 부딪치면서 몸이 휘청거렸다.

"야! 똑바로 안 다녀!"

부딪친 상대방은 아까 술집 앞에서 비키라고 했던 커플 중 남자였다. 술 냄새가 훅 풍겨 오는 가운데 효찬이는 복잡해진 마음 때문인지 저도 모르게 얼굴을 찌푸렸다. 그걸 본 남자의 눈이 커졌다.

"어린놈의 새끼가 먼저 어깨빵을 하고도 뻔뻔하게 구네."

남자가 시비를 걸자 효찬이는 미안하다고 말하고는 옆으로 비켜서서 나가려고 했다. 남다니엘에게 들킬까 봐 걱정이 되었던 것이다. 하지만 남자는 효찬이 앞을 가로막으면서 티셔츠 소매를 걷었다. 현란한 문신이 눈에 들어왔다. 남자가 효찬이의 멱살을 잡았다.

"가뜩이나 차여서 열받아 죽겠는데 어린놈이 날 건드려? 내가 누군지 알아?"

그러고 보니 같이 왔던 여자가 보이지 않았다. 효찬이는 멱살을 잡은 상대방의 손목을 잡고서 말했다.

"미안하다고요. 그만하세요, 이제."

"뭘 그만하라는 거야? 이 문신 보여, 안 보여? 어!"

남자의 목소리가 높아지자 주변 사람들의 시선이 차츰 보였다. 아이스크림 가게 사장도 다가왔지만 서슬 푸른 남자의 기세에 섣불리 나서지 못하고 발만 동동 굴렀다. 그 와중에 더 흥분한 남자가 효찬이의 멱살을 잡고서 밀어붙였다. 테라스 난간 쪽으로 밀리던 효찬이의 발이 화분에 걸려서 휘청거렸다. 그때, 뒤쪽에서 뻗어 온 손이 효찬이의 몸을 잡았다. 고개를 돌린 효찬이는 깜짝 놀랐다. 자기를 잡아 준 사람이 다름 아닌 남다니엘이었기 때문이다. 한 손으로 효찬이가 넘어지는 걸 막아 준 남다니엘이 차분하게 말했다.

"저기요, 어린애한테 시비 걸지 마시고 조용히 가세요."

하지만 남자는 오히려 더 흥분해서 남다니엘에게 삿대질을 하며 소리쳤다.

"너는 또 뭐야? 죽고 싶어?"

"그만 좀 하시라고요. 자꾸 그러면 경찰 부를 거예요."

남다니엘의 얘기를 들은 남자가 갑자기 소리를 쳤다.

"그래! 짭새 불러, 이 새끼야!"

소리를 치는 것에서 그치지 않고 남자는 아예 난간에 올라가 남다니엘이 있는 옆 가게로 넘어갔다. 남자의 발에 효찬이는 머리를 걷어차였고 넘어지면서 탁자 모서리에 머리를 부딪혔다. 머리가 울리는 충격과 함께 옆으로 쓰러진 효찬이는 꼼짝도 하지 못했다. 효찬이는 문신을 한 남자와 남다니엘 일행이 주먹다짐하는 걸 지켜보다가 차츰 의식을 잃어 갔다. 멀리서 경찰차 사이렌 소리가 들려왔다.

병원에서 정신을 차린 효찬이는 응급 처치를 하고 경찰차에 탔다. 연락을 받은 아버지가 경찰서로 오겠다고 해서 경찰서로 가게 된 것이다. 경찰서에 도착한 효찬이는 자연스럽게 벽에 붙은 벤치에 앉았다. 한쪽에는 남다니엘과 친구들이 모여 있었고, 좀 떨어진 곳에 문신을 한 남자가 보였다. 검은색 재킷을 입은 형사가 문신을 한 남자의 이름을 부르면서 호통을 쳤다.

"노현웅! 이번이 몇 번째야?"

노현웅이라고 불린 남자는 여전히 술이 덜 깬 목소리로 대꾸했다.

"그딴 거 몰라요. 여자한테 차이고 짜증 나는데 애새끼가 앞길을 가로막잖아요."

"너, 지난번에 사고 치고 집행 유예 기간이잖아. 여기서 사고를 또 치면 어떡해?"

"까짓, 깜빵 가서 콩밥 좀 더 먹죠 뭐. 요즘 맛있어졌더라고요."

책상을 사이에 두고 앉은 형사가 어처구니없다는 표정을 지으며 한숨을 쉬었다. 그걸 멍하게 바라보던 효찬이는 경찰서의 문이 열리는 소리에 고개를 돌렸다. 외출했던 차림 그대로 양복을 입고 머리를 단정하게 넘긴 아버지가 안경 쓴 남자와 함께 들어섰다. 입구에 서서 주변을 두리번거리던 아버지는 벤치에 앉아 있는 효찬이를 보고 소리쳤다.

"효찬아!"

한걸음에 다가온 아버지는 붕대를 감은 효찬이의 머리를 조심스럽게 만졌다.

"괜찮아?"

"네, 아프지 않아요."

"아프지 않긴! 머리에 이렇게 붕대를 둘둘 감고서는."

안쓰러워하며 연신 혀를 차는 아버지에게 노현웅을 조사하던 형사가 다가왔다.

"양효찬 군 보호자 되십니까?"

"네, 제가 효찬이 아버지입니다. 그리고 이쪽은."

아버지가 손짓하자 양복을 입은 남자가 품에서 명함 지갑을 꺼냈다.

"법무 법인 대서양의 김남우 변호사입니다."

명함을 받은 형사가 살짝 놀란 표정을 지었다. 아버지의 회사 매각 협상을 맡았던 법무 법인 대서양은 대한민국에서 손꼽히는 로펌이었다. 효찬이도 종종 TV나 유튜브에서 들은 적이 있을 정도였다. 조심스러워진 형사가 효찬이를 보고 칭찬을 했다.

"아이가 워낙 어른스러워서 놀라지 않더라고요."

"아들 녀석이 저를 닮아서 침착해요. 오는 길에 대략 듣긴 했는데 어떻게 된 겁니까?"

"아드님이 익선동의 아이스크림 가게에 있었는데 저기 노현웅이라는 친구가 시비를 걸었습니다. 마침 여자 친구한테 차이고 술을 잔뜩 마셔서 흥분을 한 모양이에요. 멱살을 잡고 있는데 옆 가게에 있던 남다니엘이라는 청년이 말로 타일렀나 봐요. 그랬더니 돌연 그쪽으로 넘어가서 몸싸움을 벌였습니다. 아드님은 그 와중에 노현웅의 발에 차여 넘어지면서 탁자 모서리에 머리를 부딪혔고요."

대략 설명을 들은 아버지가 의자에 앉아 있는 노현웅을 노려봤다.

"저놈입니까? 내 아들을 때린 게?"

"네, 전과 8범에 현재 집행 유예 기간이라 구속될 겁니다."

“내 아들이 저렇게 다쳤는데 그 정도로는 안 되죠.”

아버지의 얘기를 변호사가 거들었다.

“민사 소송을 진행할 예정입니다. 관련해서 협조 요청을 드립니다.”

형사가 손가락으로 이마를 긁으면서 대답했다.

“물론이죠.”

형사의 대답을 들은 아버지가 말했다.

“그리고 우리 아들을 도와준 청년이 누굽니까? 내가 인사를 좀 하고 싶은데요.”

“저쪽입니다.”

형사가 공손하게 남다니엘 일행을 가리키는데 경찰서 문이 열렸다. 이번에 들어온 사람은 희애 아주머니였다. 아버지처럼 주변을 두리번거리던 희애 아주머니는 친구들과 함께 앉아 있는 남다니엘을 보고 외쳤다.

“다니엘!”

익숙한 목소리를 들은 아버지가 고개를 돌렸다. 남다니엘은 머뭇거리며 일어나서는 다가오는 희애 아주머니에게 또렷한 목소리로 말했다.

“엄마, 미안해.”

엄마라는 말소리를 듣는 순간, 효찬이는 가슴이 털컥 내려앉았다. 두 사람을 나이 차이 많이 나는 애인 사이라고 생각한 자신의 판단이 잘못된 것이라는 게 명백해졌기 때문이다. 희애 아주머니 역시 뒤늦게 효찬이와 아버지를 발견하고는 그대로 굳어졌다. 아버지 역시 놀라기는 마찬가지였는지 눈이 평소보다 두 배는 더 커졌다. 둘은 말없이 서로를 향해 다가갔다. 먼저 입을 연 것은 아버지였다.

"여기는 왜?"

"그, 그게……."

희애 아주머니는 나를 봤고 아버지는 남다니엘을 바라봤다.

정신없는 시간이 흘렀다. 이틀 동안 병원에 입원했던 효찬이는 아버지의 주치의에게서 이제 괜찮다는 얘기를 듣고는 퇴원해서 학교에 갔다. 자리에 앉은 효찬이에게 먼저 말을 건넨 것은 그날 먼저 갔던 경민이였다. 경민이가 잔뜩 일그러진 표정을 지으며 손을 내밀었다.

"그날은 미안했어."

"뭐가?"

"널 버리고 갔잖아. 내가 있었으면 사고가 안 났을 텐데."

효찬이는 진심으로 미안해하는 경민이의 손을 잡았다.

"괜찮아. 크게 안 다쳤어."

안도의 한숨을 쉰 경민이가 옆자리에 앉으며 물었다.

"그날 경찰서에서 너희 아버지랑 그 아주머니랑 마주쳤다며?"

"응, 날 도와준 형의 엄마가 희애 아주머니였어."

"그 아줌마 독신이라고 하지 않았어?"

"결혼을 안 한 건 맞아. 그런데 젊었을 때 혼인 신고를 하지 않고 아들을 낳았나 봐. 그날 밤에 얘기하는 거 들었어."

"야, 너희 아버지 빡치셨겠다."

"그건 아닌데, 희애 아주머니가 거짓말해서 미안하다며 헤어지자고 했어."

"정말? 무슨 드라마처럼 얘기가 돌아가네."

"이게 다 나 때문이야."

한숨을 쉬는 효찬이에게 경민이가 물었다.

"왜?"

"내가 쓸데없는 의심을 해서 쫓아가는 바람에 일이 커졌잖아."

"그거야……."

말끝을 얼버무린 경민이가 효찬이의 눈치를 슬쩍 봤다.

"의심할 만했지. 거기다 미스터리 맨이 부추겼잖아."

"그렇다고 해도 내가 잘 판단했어야 했어. 무조건 말을 들을 게 아니라 말이야."

효찬이의 대답을 들은 경민이가 휴대폰을 꺼내면서 말했다.

"그 소식 들었어?"

"무슨 소식?"

"미스터리 맨 있잖아. 정체가 밝혀졌어."

"진짜? 그동안 아무도 알아내지 못했잖아."

"민준혁이라는 탐정이 찾아냈나 봐. 마천에 사는 40대 백수 아저씨래. 본명은 가운데 글자를 가렸는데 윤으로 시작해서 섭으로 끝나."

"진짜? 자기는 로펌에 속한 변호사라고 했잖아."

"변호사는 무슨!"

코웃음을 친 경민이가 덧붙였다.

"제대로 직장을 가져 본 적도 없는 방구석 폐인이래. 사진도 얼굴을 모자이크해서 올렸는데 영락없는 백수였어. 민준혁 탐정이 글을 올리면서 만약 사실이 아니면 자기를 고소하라고 했어."

"그런데?"

"미스터리 맨이 바로 잠수를 타 버렸지. 계정도 싹 다 없애고 말이야."

경민이의 얘기를 들은 효찬이는 한숨을 쉬었다.

"맞나 보네."

"기억나? 뉴욕 어디에 가서 샌드위치 먹었다고 올린 사진 말이야."

"그럼."

"거기 이태원에 있는 가게였어. 민준혁 탐정이 가서 똑같은 구도로 사진을 찍었더라."

"맙소사."

"그뿐만이 아니야. 터지고 나서 보니까 그 사람한테 돈을 준 사람들이 꽤 있었어."

"뭐라고?"

"자문료 명목으로 돈을 송금한 사람이 있나 봐. 원래 자기는 거물급 변호사라 이런 푼돈을 받았다는 게 알려지면 안 된다고 입 다물고 있으라고 했대. 아, 그리고 올해 초에 미스터리 맨이 이혼하라고 해서 갈라섰던 사람 있잖아. 기러기 아저씨."

"응."

"알고 보니까 부인이 현지에서 바람을 피운 게 아니었대. 자식들이 아니라고 했는데도 못 믿고 이혼했는데 이제 어쩌냐고 하소연을 하더라."

" 완전히 사기꾼이었네."

"그렇지. 그래서 지금 게시판 난리 났어. 몇 명은 고소장 제출한다고 경찰서 찾아갔고 말이야."

경민이의 얘기를 들은 효찬이는 두 손으로 얼굴을 가렸다. 그동안 미스터리 맨에게 하소연을 했던 것들이 떠오르면서 창피해졌기 때문이다. 그런 효찬이의 어깨를 경민이가 토닥이며 위로해 줬다.

"괜찮아. 너뿐만 아니라 다 같이 속았던 거잖아."

"다른 사람들에게 피해를 주었잖아. 어제 어쩌지?"

효찬이의 얘기를 들은 경민이가 휴대폰을 꺼내 책상에 놨다. 그리고 푸른 고래 사이트를 보여 줬다. 거기에는 미스터리 맨의 정체를 까발린 민준혁이라는 사람의 글이 올라와 있었다.

- 사람은 누구나 실수를 합니다. 중요한 건 실수를 반복하지 않는 거죠. 학창 시절에 틀린 답을 적어 놓는 오답 노트라는 걸 만든 적이 있습니다. 우리 인생에도 오답 노트가 필요하다고 봅니다. 잘못한 게 있으면 바로잡으면 됩니다. 우리에게는 그럴 시간과 용기 모두 있으니까요.

수업이 끝나고 병원에 들렀다가 곧장 집으로 돌아온 효찬이는 현관의 비밀번호를 누르고 안으로 들어갔다. 현관의 대리석 복도는 어두컴컴했다. 복도를 지나자 거실이 나왔다. 아버지는 불도 켜지 않은 거실에서 코를 골며 자고 있었다. 앞에 있는 원목 탁자 위에 반쯤 비워진 양주 병이 보였다. 술이 약한 아버지는 사업할 때 접대하는 술자리를 유독 힘들어하셨다. 조용히 바라보던 효찬이는 술병과 술잔을 들고 부엌으로 향했다. 부엌 옆 다용도실에서 세탁기를 돌리던 가정부 이모가 효찬이를 보고 말했다.

"왔니?"

"아빠 술 드셨어요?"

"그래, 희애 아주머니한테 전화를 했는데 통화가 안 되니까 저러시네."

혀를 차며 말하는 이모의 얘기를 들은 효찬이는 술병과 술잔을 식탁에 올려놓고 도로 거실로 나갔다. 그리고 닫혀 있던 커튼을 확 열어젖혔다. 아직 사라지지 않은 햇살이 거실 안으로 쳐들어왔다. 햇살의 침략에 놀란 아버지가 뱃살을 출렁거리며 눈을 떴다. 아버지는 눈을 비비며 커튼을 쥐고 서 있는 효찬이에게 말했다.

"어, 왔니?"

"얼른 씻고 옷 입으세요."

“왜?”

“희애 아주머니 카페로 같이 가요.”

“거, 거기로?”

얼굴을 찡그린 아버지의 물음에 효찬이가 대답했다.

“맨날 전화로만 하니까 진심이 안 전달되죠. 만나서 얘기하시라고요. 아빠 입으로 설득의 제왕이라고 하셨잖아요.”

아무 말도 못 하는 아버지에게 효찬이가 다가가 말했다.

“직접 만나서 얘기해 보세요. 이렇게 헤어지실 거예요? 결혼할 사이라면서요?”

“그렇긴 하지만…….”

“빨리 씻고 옷 갈아입으세요. 기사 삼촌한테는 제가 얘기해 놓을게요.”

“간다고 반가워할까?”

조심스러워하는 아버지의 물음에 효찬이는 어깨를 으쓱해 보였다.

“모르죠. 그래도 뭐라도 해 봐야죠. 가면 최소한 얼굴은 볼 수 있잖아요.”

효찬이의 얘기를 듣고 잠시 고민하던 아버지가 대답했다.

“그래, 안 되더라도 부딪혀 봐야지. 이렇게 헤어지면 두고두고 후회할 거 같아."

소파에서 몸을 일으킨 아버지가 안방으로 걸어가다가 효찬이를 돌아봤다.

"자식, 다 컸네. 아버지한테 충고도 해 주고."

"얼른 씻으세요. 술 냄새 없애게 향수도 좀 뿌리시고요."

"알았다."

아버지가 욕실이 있는 안방으로 들어가는 걸 본 효찬이는 돌아서서 바깥으로 시선을 돌렸다. 50층 높이에서 내려다본 햇살은 은은하고 따스했다. 효찬이는 그걸 보면서 중얼거렸다.

"잘못된 걸 바로잡을 시간이야."

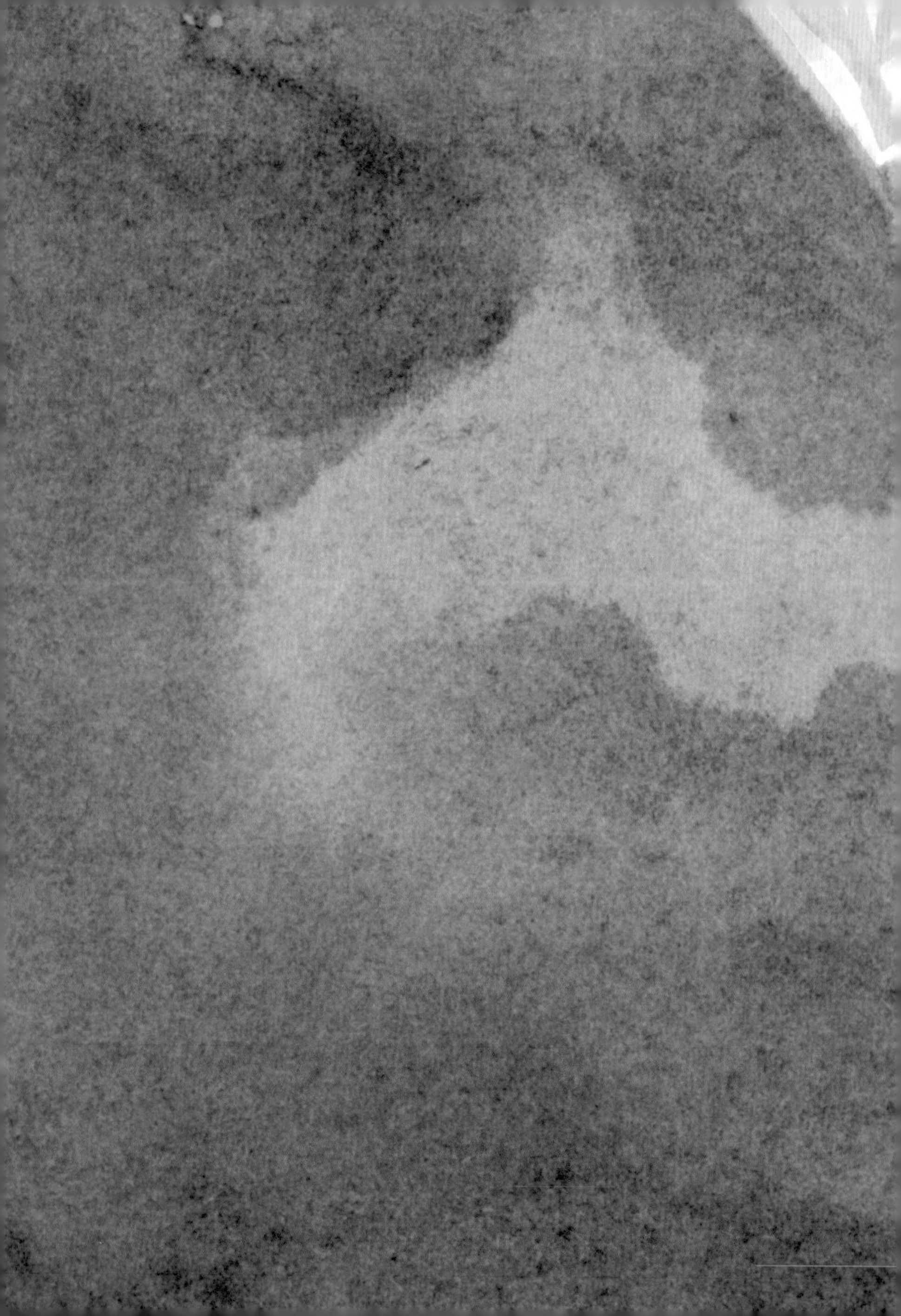

가족은 나를 지키는 최후의 보루이자 방패입니다. 그래서 누구나 다 가정이 평안하고 안정적이기를 바라죠. 하지만 복잡한 현대 사회에서는 가족들이 온전하게 남아 있기 점점 힘들어지고 있습니다. 이혼의 증가로 한 부모 가정이 늘어나고 있으며 재혼 가정 역시 증가하고 있습니다. 재혼은 새로운 가족의 형태를 구성하게 되는데 양쪽 재혼자의 자녀들이 형제자매가 되는 케이스가 대표적이죠. 계모에 대한 공포감은 《콩쥐 팥쥐》나 《신데렐라》 같은 고전에서 알 수 있듯 뿌리 깊은 것입니다. 이번 작품은 사춘기 청소년이 그런 상황에 처했을 때 어떤 판단을 내리는지를 보여 줍니다.

우리는 중요한 결정을 앞두고 대부분 조언을 듣습니다. 하지만 조언을 듣고 결정하는 것이 아니라 자신이 이미 내린 결정을 뒷받침해 줄 이야기만을 골라 듣는 경우도 많습니다. 인생은 정답을 찾아 가는 과정이며, 그렇기에 오답을 잘 골라내야 합니다. 오답은 정답보다 더 그럴듯하기 때문에 쉽게 판단하거나 감정적으로 바라봐서는 안 됩니다. 냉정하고 현명하게 바라봐야 우리의 인생이 정답을 맞이할 수 있게 됩니다. 부디 인생의 정답을 찾아 갈 수 있도록 현명한 판단과 고민을 하기 바랍니다.

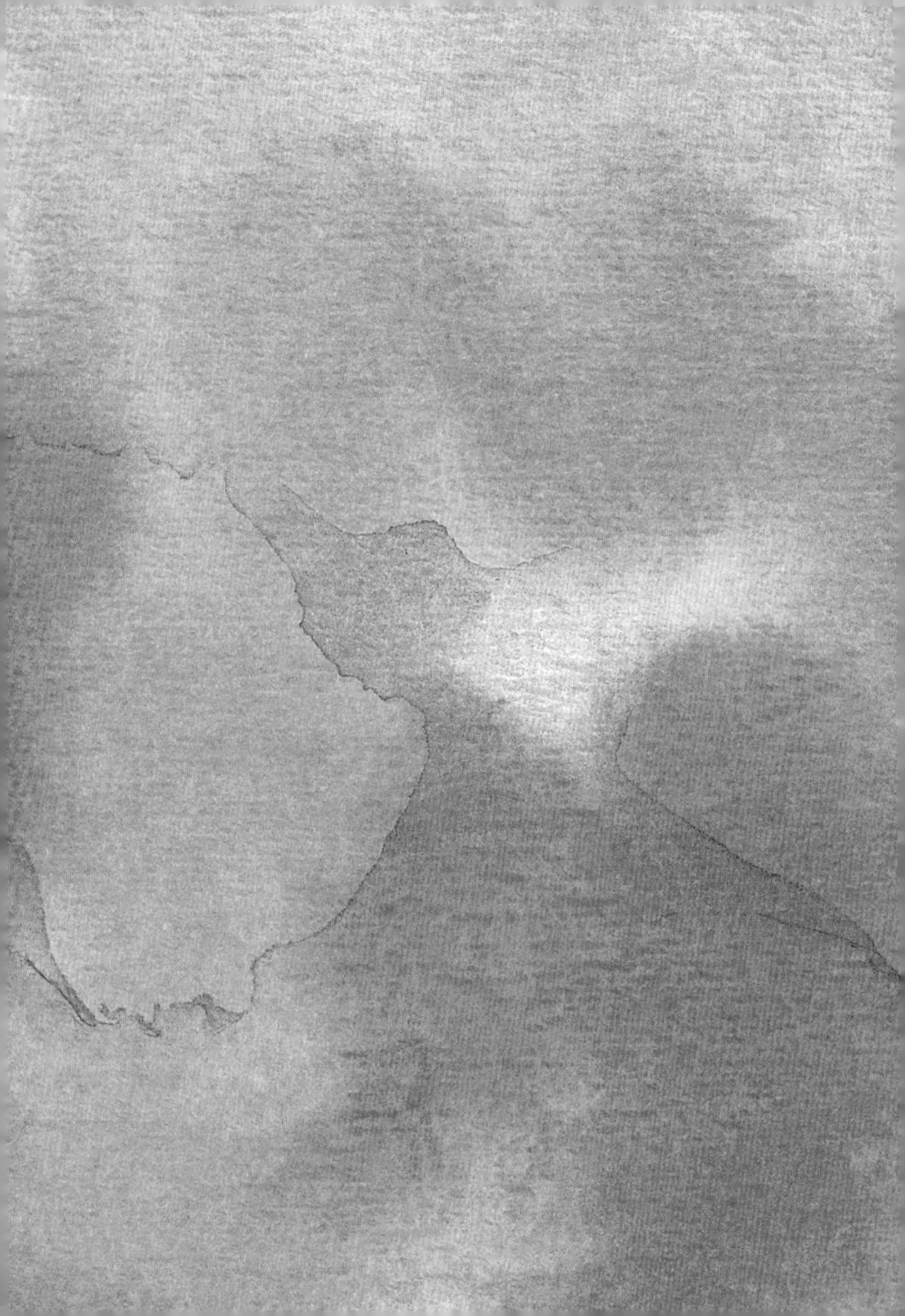

한주는 늙는 걸 싫어한다

김영주

찬우는 핸드폰에서 메모장을 켜고 비밀번호를 확인했다. 새삼스레 없던 비밀번호가 생기니 귀찮은 게 한둘이 아니었다. 비밀번호를 전부 통일할까 잠깐 고민했지만 그러다 비밀번호가 들통이라도 나면 애써 비밀번호를 만든 보람이 없을 터였다. 찬우는 메모장에서 확인한 비밀번호를 태블릿 화면에 입력하며 한숨을 두어 번 내리쉬었다. 노트북이며 태블릿을 쓸 때마다 비밀번호를 입력해야 하는 삶이라니. 사람은 자고로 감출 것 없는 투명한 삶을 지향해야 한다며 찬우는 죄 없는 태블릿을 거칠게 두드렸다. 새삼 거슬러 생각해 보면 비밀번호 채워 놓기라는 전혀 찬우답지 않은 새로운 습관의 발단은 일주일 전이었다.

1.

"어이, 김형지. 지각 대장이 웬일로 학교엘 일찍 왔냐?"

방금 찾은 동영상을 보며 낄낄거리던 태혁이가 형지에게 큰 소리로 인사를 했다. 찬우도 별일이라는 듯 고개를 돌렸다. 아침잠이 많은 형지의 몰골은 말이 아니었다. 형지가 눈 아래에 시커먼 그늘을 단 채 웅얼거렸다.

"외, 외항선…… 정박, 거실……."

"누가 외항선을 탄다고?"

잠이 모자라서인지 태반은 알아듣기 힘들었지만 갓난아기 옹알이 같은 말 사이에서 찬우는 용케 외항선이란 단어를 집어냈다. 오호라! 외항선이라! 재미있겠는데! 찬우의 눈이 반짝였다. 오늘도 여느 날과 그다지 다르지 않았다. 하는 일 없이 일찍 등교해서 태혁이와 노닥거리던 것이라든지, 한 명 두 명 늘어나는 반 아이들과 시답잖은 농담을 주고받던 것까지. 매일 반복되는 맹맹한 하루가 막 시작되려던 참이었다.

형지가 감긴 눈꺼풀을 힘겹게 들어 올리며 대답했다.

"사암초온, 우리 엄마 막냇동생. 일주일 동안 인천항에 정박해 있다가 다시 인도네시아로 나간다고 집에 와선 내 방을 차지했어. 그 바람에 나는 거실로 쫓겨났고."

거실로 쫓겨난 것도 서러운데 외삼촌에게 맛난 걸 해 먹이겠다고 달각거리는 엄마 아빠의 소음을 이기지 못하고 일찌감치 학교로 쫓겨났다며 형지는 하소연을 했다. 그러든 말든 아이들은 신이 났다.

"맛있는 거 많다며? 뭘 더 바라?"

"갈비도 있어? 오늘 밤 너희 집에 가도 돼?"

"오늘 형지네로 무조건 모여!"

낄낄거리는 아이들의 소음 틈을 한주의 쨍한 목소리가 파고들었다.

"그거다, 그거야!"

"뭐? 뭐가 그거야?"

태혁이가 떨떠름한 표정으로 물었다. 의욕이 넘치는 한주에게 섣불리 동조했다 성가신 일에 휘말린 게 한두 번이 아니었다. 요령이 없다고 할까? 한주는 간단한 일을 간단하게 끝낼 줄 모르는 아이였다. 예를 들면 좋아하는 영화를 발표하는 시간에 유럽의 나라별 영화 사조를 조기 꿰듯 좌르르 꿰어 읊어 대는 것이다. 담임은 수행 평가의 의의를 살리는 가슴 뛰는 발표라며 기뻐했지만 청조중학교 2학년 2반 학생들은 한 시간 내내 트뤼포니 고다르니 베르토프 따위의 분에 넘치는 지식을 억지로 들어야만 했다. 가장 안 좋은 점은 그 발표에 필요한 자료를 조사하는 데 종종 태혁이와 찬우, 형지가 동원된다는 것이었다. 같은 유치원을 거쳐 같은 초등학교를 졸업하고 같은 중학교에 입학한 것도 모자라 한 반에 쓸어 담긴 네 사람은 순전히 소꿉친구라는 죄로 한주에게 휩쓸렸다. 모른 척하다가도 조그마한 한주가 똥 머리를 질끈 올려 묶은 채 동동거리는 모양을 차마 외면하지 못했다.

"수행 평가 말이야, 이번 주 수행 평가 직업 탐방이잖아. 아주

딱이네. 흔하지도 않고 재미도 있고."

"그, 그렇긴 하네."

흥미를 보이면서도 마음을 완전히 놓지 못한 태혁이가 찬우를 돌아보았다. 동조해도 괜찮을까? 또 말려드는 거 아닐까? 태혁이의 간절한 눈빛에서 미처 못 한 말들이 뚝뚝 떨어졌다. 재미있으면 됐지, 뭘 그렇게 깊이 생각해. 찬우는 시치미를 뚝 떼고 형지에게로 몸을 돌렸다.

"형지야, 삼촌한테 배 좀 구경시켜 달라고 하면 안 돼? 말썽 안 피우고 얌전히 굴겠다고 보여 달라고 말 좀 해 봐."

수행 평가라는 단어가 힘을 발휘했는지 형지 엄마가 외삼촌을 압박했고 외압을 이기지 못한 외삼촌의 항복으로 '외항선 탐방'은 순조롭게 성사되었다. 순조로울 것 같았던 탐방이 어그러질 조짐은 그날 아침부터 시작되었다. 잠에서 깨어난 찬우는 눈을 끔벅였다. 오늘따라 몸이 가뿐했다. 개운한 아침을 맞이한 때가 언제더라?

"망했다."

시계가 10시를 가리키고 있었다. 체험 학습 신청서를 냈다는 안도감에 늦잠을 자 버린 거다. 알람이 울리지 않았을 리가 없는

데. 부리나케 화장실로 뛰어 들어가며 욕지거리를 내뱉었다. 형지 집 앞에 모이기로 한 시간까지 겨우 30분이 남아 있었다. 화장실 거울에 비친 모습에 찬우는 절망했다. 빠듯한 시간에 머리까지 도움이 안 되었다. 그냥 빗으로 해결할 상태가 아니었다. 머리만 감자. 대충 물을 끼얹고 서둘러 가방을 챙겼다. 지갑과 핸드폰을 넣고, 혹시나 싶어 태블릿을 던져 넣고 냅다 뛰었다. 한주는 꾸물거리는 걸 싫어하니까.

허둥지둥 아파트 입구로 뛰어들던 찬우는 낯익은 뒷모습에 우뚝 멈췄다. 시원하게 올려 묶은 똥 머리, 지나치게 꼿꼿한 등판 모양 하며 어딜 봐도 한주였다. 한주가 분명해 보였지만 확신할 수가 없었다. 하늘색 주름치마에 남색 줄무늬가 들어간 세일러복이라니. 본 적 없는 차림새에 당황해서일까? 얼굴이 새빨갛게 뜨거워졌다. 나름 외항선에 간다고 콘셉트 맞춰 입은 모양인데. 너무 예쁘잖아.

찬우는 조용히 한주 뒤를 따라갔다. 제 표정이 어떨지 가늠할 수 없어 인사를 건네지 못한 탓에 뒤를 밟는 꼴이 되고 말았다. 소리를 죽인 채 슬렁슬렁 따라가는 모양새가 우스웠지만 제 마음을 들키는 것보다는 나았다. 깐깐하고 집요한 데다 잔소리까지 많은 소꿉친구가 다르게 보이기 시작한 건 도대체 언제부터였을까? 형지나 태혁이가 알게 되면 친구끼리 그러는 거 아니라고 난리 칠 게 뻔했다. 난리를 치기만 할까? 그날부터 지옥문이 열릴 게 뻔했다. 히죽거리고 툭툭 치고 낄낄 웃고 온갖 방법을 동원해 놀리겠지. 생각만 해도 끔찍했다.

"빨랑 좀 다녀라."

시간 맞춰 다니는 데 누구보다 소질이 없는 형지가 한소리를 했다. 어쭈! 삼촌 앞이라 이거냐. 찬우는 발끈 치솟는 성질을 도로 밀어 넣고 형지 삼촌에게 사과를 했다. 한주의 모습에 어떤 놈이든 반하기라도 하면 어쩌나 하는 걱정이 무색하게 형지는 두 사람을 보자마자 늦었다며 차로 질질 끌고 갔다. 그때였다. 형지의 손에 밀려가던 한주의 가방이 똑 떨어진 것은.

"으악! 내 노트북!"

한주가 서둘러 가방을 잡았지만 너무 늦었다. 거미줄처럼 금이 간 노트북 액정을 보며 울먹이는 한주 앞에서 세 사람은 불안한 눈빛을 주고받았다. 분명 필요해서 가져온 걸 텐데. 계획이 틀어지는 걸 못 견뎌 하는 한주를 달래는 것은 어김없이 찬우의 몫이었다.

"한주야, 우선 숨을 크게 들이쉬자. 알잖아? 언제든, 어떤 돌발 상황이라도 우린 해결할 수 있어!"

후욱, 훅. 숨을 들이쉬며 한주가 물었다.

"형지, 너 노트북 있지? 차 안에서 발표 자료 만들려고 했는데 핸드폰은 화면이 너무 작잖아. 노트북 가지고 내려와."

"아, 노트북……. 그, 그래……."

애원하는 듯한 형지의 눈이 찬우에게 꽂혔다. 찬우는 슬그머니 혀를 찼다. 남의 노트북을 박살 내 놓고 제 노트북을 빌려주지 않겠다고 말하기가 두렵겠지. 하지만 형지의 마음이 이해는 갔다. 엄마를 졸라 겨우 얻은 게이밍 노트북을 밖으로 돌리고 싶지 않은 게다. 그렇다고 거절하자니 후폭풍이 무서울 터였다. 찬우는 가방에서 태블릿을 꺼내 한주에게 내밀었다.

"나, 태블릿 가져왔어. 이걸로 작업해."

한주는 미간을 살짝 찌푸린 채 찬우의 태블릿과 태혁이와 시계를 번갈아 보았다. 발뺌하는 형지 대신 태혁이에게 노트북을 가져오라고 하기에는 시간이 빠듯하다는 생각을 하고 있겠지.

"자, 봐. 무선 키보드도 있어."

찬우가 내민 휴대용 키보드가 한주의 갈등에 종지부를 찍었다. 태블릿과 무선 키보드를 챙긴 한주를 뒤따라 세 사람은 부랴부랴 차에 올라탔다.

2.

형지 삼촌은 뱃사람답게 화통했다. 이왕 배를 보여 주는 김에 확실히 보여 주기로 마음을 먹은 모양이었다. 원래는 항만에 출입할 때는 신분증을 보여 줘야 하는 데다 아무나 출입할 수도 없다는데 삼촌이 미리 말해 놓은 덕분에 네 사람은 편안하게 항만 안을 둘러볼 수 있었다.

항만에 들어선 네 사람은 거대한 크레인과 산처럼 쌓인 컨테이너 박스와 배가 뿜어내는 기적 소리에 압도되었다. 입을 헤 벌린 네 사람을 보며 형지 삼촌이 크게 웃었다.

“배가 많이 크쟈? 창고 구석에라도 숨어들면 한 달이 지나도 모른다아이가.”

네 사람은 삼촌의 말에 고개를 끄덕이며 배에 올랐다. 영화에 나오는 호화 크루즈선처럼 화려하지는 않았지만 승조원들의 손때가 묻어 있는 배는 정말로 멋졌다. 세 사람이 넋이 빠진 순간에도 한주만은 여전했다. 셋은 한주의 명령에 따라 사진을 찍거나 자세를 잡았다.

“거기 좀 서 봐. 아니, 아니, 다 가리지 말고. 각도를 좀 틀어서. 30도 말고 15도 정도로 아주 살짝 틀어.”

세세하다 못해 극성스러울 정도로 집요한 한주의 명령에 따라

셋은 배 안을 이리 뛰고 저리 뛰었다. 덕분에 마침내 탐방이 끝났을 즈음에는 손도 까딱하기 힘들 지경이었다. 형지 삼촌이 한여름 아스팔트 위 지렁이처럼 늘어진 아이들을 차이나타운으로 데리고 갔다. 두어 시간 전에 점심시간이 지난 차이나타운의 중국집은 한산했다.

"먹고 싶은 거 다 시키라!"

삼촌의 말씀에 아이들은 순종했다. 하얗게 질려 가는 삼촌의 낯빛을 본체만체 무시하며 형지와 태혁이는 소고기탕수육 대짜와 양장피 중짜, 깐풍기 중짜를 하나씩 시켰다. 그러고도 불짜장 두 개, 짬뽕 한 개, 볶음밥 세 개를 추가했다. 바삭한 탕수육을 우적우적 씹으며 찬우는 깊이 숨을 들이켰다. 항만도 배도, 심지어 흔해 보이는 중국집마저도, 뭐라 콕 집어내기 힘든 분위기가 있었다. 그 분위기에 휩쓸려서인지 아까부터 한주를 볼 때마다 자꾸 가슴이 두근거렸다. 행여 아이들이 낌새를 차릴까 봐 앞에 놓인 짜장면 그릇에 고개를 파묻었다.

"찬우야!"

때맞춰 한주가 말을 거는 바람에 찬우는 펄 듯이 놀랐다.

"찬우야, 태블릿 말이야. 이왕 빌려준 김에 오늘 하루 빌려줄 수 있어? 생각해 보니까, 바짝 서두르면 오늘 중에 끝마칠 수 있을 거 같은데 노트북이 고장 났잖아. 그래서……."

한주가 한참 동안 무어라 말을 했지만 얼굴이 화끈거려 하나도 귀에 들어오지 않았다. 대충 알았다고 고개를 끄덕였다.

"고마워. 내일 학교에서 돌려줄게."

"응?"

그제야 사태를 파악한 찬우가 멀뚱히 한주를 건너보았다. 가방에 야무지게 태블릿을 챙기며 한주가 뿌듯하게 웃었다. 그래, 네가 좋으면 좋은 거지. 태블릿 하루 없다고 죽나. 찬우도 따라 웃었다. 그렇게 마무리되어 가던 체험 학습에 마가 낀 건 바로 그때였다. 바지 주머니에 넣어 둔 핸드폰이 격렬하게 춤을 췄다. 아이들도 덩달아 휴대폰에 손을 뻗는 걸 보니 단체 메시지였다. 담임에게서 온 메시지를 무심히 확인하던 아이들이 일제히 탄식을 쏟아 냈다.

"아, 기말고사 성적."

"뭐야, 벌써 성적 나왔어?"

"죽었네."

한 학기 동안 배운 부분이 죄다 시험 범위였으니 다들 성적이 좋을 리가 없었다. 아이들은 그나마 체험 학습 덕에 오늘 받을 성적표를 내일로 유예했다는 데서 위안을 찾으며 급격하게 맛이 떨어진 중국요리를 입에 쑤셔 넣었다.

"자, 이제 집으로 가 볼까?"

아이들은 어미 오리를 뒤따르는 새끼 오리들처럼 얌전히 삼촌 차에 올라탔다. 내일에 대한 걱정과 조미료의 절묘한 조합으로 멍하니 앉아 있던 찬우는 또다시 울리는 핸드폰의 진동에 정신을 차렸다. 이번에도 담임이었다.

"찬우야, 마침 오늘 어머님이 학교에 오셔서 성적표 드렸다. 사람이 살다 보면 실수하게 마련이야. 우리는 누구나 답안 밀려 쓰는 것보다 훨씬 더 큰 실수들을 하고 살아간단다. 네가 비록 우리 반의 성적을 대폭 깎아 먹는 지경에 이르렀지만 그렇다고 내가 널 안 사랑하는 건 아니란 거 꼭 기억해 주길 바라. 사인은 안 받아 와도 이해할게."

이게 무슨 소리? 찬우는 짧은 메시지를 읽고 또 읽었다. 행간에 담긴 의미는 자명했다. 기말고사 때 답안을 밀려 썼고 그 결과 찬우의 성적이 전에 없이 참담하리란 뜻이었다. 찬우의 추리를 증명이라도 해 주려는 듯 담임에게서 세 번째 문자가 도착했다.

"네가 너무 궁금해할 것 같아 보낸다. 우리 찬우 기운 내."

지나치게 친절한 담임이 보낸 사진 속의 숫자는 친절하지 않았다. 36/49. 찬우는 두어 번 눈을 끔벅였다. 이런, 시바. 도대체 뭘 어떻게 밀려 쓴 거냐? 딴은 공부 좀 한다고 잘난 척할 정도는 됐는데. 하필 체험 학습 날 성적표가 나왔고, 하필 그날 엄마가 학교에 일이 있었고, 하필 담임이 학생의 자유 의지 따위는 개의치 않는 성격이어서 엄마에게 곧장 성적표를 건넸단 말인가. 게다가 하필 받아 간 성적표가 전례 없이 망한 시험의 결과물이라니. 담임 앞에서 새빨갛게 불타올랐을 엄마의 얼굴이 그려졌다.

'죽었다. 어쩐다지?'

오독오독 손톱을 삼키던 찬우의 뇌리에 반짝 서광이 스쳤다. 형지 삼촌의 말이 불현듯 떠올랐다.

"배가 많이 크쟈? 창고 구석에라도 숨어들면 한 달이 지나도 모른다아이가."

"삼촌! 잠깐만요!"

찬우는 막 출발하려던 차를 세웠다.

"저는 조금만 더 있다가 갈게요. 할 일이 좀 있어서요. 안녕히 가세요."

등 뒤로 당황한 아이들의 목소리가 따라붙었지만 뒤도 돌아보지 않고 골목길로 쏙 들어갔다. 혹시라도 누가 따라올까 봐 걱정했는데 너무 급작스러운 상황 탓인지 아무도 뒤따라오지 않았다. 대신 핸드폰이 쉬지 않고 문자를 토해 냈다.

- 야! 너 뭐야?

- 미친놈아, 갑자기 어딜 가?

- 야! 막 떠오르는 대로 하지 말라니까!

- 근처에 들를 데가 있어서 그래. 나중에 보자.

찬우는 멈춰 서서 체험 학습 단톡에 짧게 답을 하고 핸드폰을 껐다. 그리고 천천히 숨을 가다듬으며 주위를 살폈다. 세월의 때가 낀 간판들이 정신 사납게 흩어져 있는 길목이 유난히 을씨년스러웠다. 낡은 구시가지의 건물 사이에 매달린 전깃줄이 꼭 제 모습처럼 청승맞았다. 찬우는 입술을 꾹 깨문 채 골목 끝 무인 카페로 걸으며 계획을 정리했다. 이제 겨우 5시였다. 여름은 해가 길었다. 무인 카페에서 서너 시간은 보내야 해가 질 터였다. 무용지물이 된 핸드폰을 가방 앞주머니에 아무렇게나 던져 넣고 무인 카페로 들어섰다. 구석 자리에 몸을 묻은 지 5분 정도 지나자 스피커에서 낯선 목소리가 흘러나왔다.

"저희 카페에서는 1인 1음료를 원칙으로 하고 있사오니 양해 부탁드립니다."

쳇. 찬우는 입술을 실룩이며 아이스커피 하나를 샀다. 겨우 5분 그냥 앉아 있었다고 방송까지 할 건 뭐람? 야박한 인심에 그냥 나갈까 하다 꾸욱 참았다. 밖에서 서너 시간을 버티다 땀범벅이 될 걸 생각하면 그래도 2000원이 쌌다.

3.

8시. 드디어 해가 졌다. 찬우는 가방을 기세 좋게 메고 카페를 나왔다. 찬우의 계획은 단순했다. 형지 삼촌이 보여 준 배에 올라탈 생각이었다. 내일 아침 중국으로 떠나는 배인데 한국으로 다시 돌아오려면 일주일은 걸린다고 했다. 배는 넓고 공간은 많으니 찬우 몸 하나 숨길 곳이 있을 터였다. 삼촌도 창고에 숨으면 한 달도 버틸 수 있다고 했으니까. 일단 배가 출발하면 엄마 아빠에게 문자를 보낼 계획이었다. 떨어진 성적에 충격을 받아 밀항까지 한 걸 고백하면 그저 무사히 돌아만 오라고 할 거다. 모든 걸 없던 일로 할 테니 조심히 건강하게 돌아오라고. 떨어진 성적을 사건으로 막았다고 더 크게 혼쭐이 나는 건 아닐까 잠시 고민했지만 엄마가 신줏단지 모시듯 신봉하는 정신과 의사 말을 떠올리며 마음을 다잡았다.

"사춘기 아이가 심한 반항을 할 때는 부모가 한발 물러서자."

좋았어. 편의점에서 물과 핫바, 삼각김밥을 여러 개 샀다. 형지 삼촌 말대로라면 배가 중국 항구에 도착하면 3~4일 정도 머무르면서 짐을 내리고 실은 다음 한국으로 돌아온다고 했다. 짐을 싣고 내릴 동안만 들키지 않게 잘 숨어 있으면 모든 일이 술술 풀릴 거다. 아주 잠깐 다른 애들처럼 친구 집으로 가출하면 어떨까 싶었지만 엄마랑 친자매처럼 지내는 형지네 엄마랑 태혁이네 엄마가 생각났다. 거기 들어갔다가는 실시간 동태 파악에 조기 귀가까지 덤으로 얹힐 터였다.

일주일 치 비상식량을 야무지게 고쳐 메고 찬우는 씩씩하게 항구로 걸어갔다. 입구부터 불빛이 환했다. 한밤중인데도 짐을 내리는 배가 있는지 한쪽 배 대는 자리에서 크레인이 바쁘게 움직이고 있었다. 다행히 찬우가 노리고 있는 배 근처에는 사람이 보이지 않았다. 불빛이 환하기는 마찬가지였지만 불빛이 있는 편이 배로 향하는 계단을 올라가기 편할 것 같았다. 자칫 발이라도 미끄러지면 큰일이니까. 찬우는 항구 옆 건물 그늘에 몸을 숨긴 채 입구에 있는 초소를 살폈다. 일단 경비원의 눈을 피해 항만에 들어가기만 하면 몸을 숨길 곳은 많았다. 그런데 시간이 지나도 경비원이 좀처럼 자리를 비우지 않았다. 영화 속 경비원은 피곤에 지쳐 졸거나 스포츠 중계를 보느라 한눈을 팔던데 현실의 경비원은 달랐다.

안달하는 사이 시간만 야속하게 흘렀다. 쭈그린 다리가 조금씩 저리더니 마침내 감각이 사라졌다. 이러다간 배까지 가기도 전에 다리가 엉켜 잡힐 게 뻔했다. 찬우는 통나무처럼 뻣뻣해진 다리를 쭈욱 폈다. 발끝에서부터 저릿한 느낌이 다리를 타고 올라왔다. 마치 고문이라도 받는 듯한 고통에 울컥 화가 났다. 다 때려치우고 집에 가서 혼나고 말까, 고민할 즈음 도로 끝에서 구원자가 다가왔다. 찬우가 몸을 숨긴 건물 외벽보다 두 배는 길어 보이는 트럭이었다. 찬우는 요란한 소리를 내며 멈춰 선 트럭을 향해 힘껏 뛰었다. 진흙이 덕지덕지 붙어 스치기만 해도 잔뜩 묻을 것이 분명했지만 그런 것 따위는 지금 중요하지 않았다. 운전기사와 경비원이 몇 마디 주고받는 틈을 타서 트럭 옆에 몸을 숨겼다. 곧이어 트럭이 움직이기 시작했다. 트럭을 따라 있는 힘껏 뛰던 찬우는 트럭 기사가 백미러에 아른거리는 찬우를 확인하기 직전, 아슬아슬하게 컨테이너 박스 사이로 방향을 틀었다.

허억, 허억. 이놈의 저질 체력. 나중에 집에 돌아가면 꼭 운동을 시작하고 말 거라고 이를 갈며 찬우는 주위를 살폈다. 운 좋게도 낮에 삼촌 차로 지나갔던 길이었는지 낯이 익었다. 조명을 피해 그림자 진 곳을 슬금슬금 걷던 찬우의 눈에 10층짜리 아파트만 한 배가 들어왔다. 마침내 목표물에 도달한 것이다. 문제는 이제부터였다. 컨테이너 박스가 쌓인 곳에서 배가 정박해 있는 자리까지는 몸을 숨길 데가 마땅치 않았다. 배 위에 굵직한 팔을 드리운 크레인 주위로 조명이 대낮처럼 환했다. 어떻게 해야 할까? 몇 시간 죽치고 있다 보면 꺼질지도 모른다. 아까운 전기를 내내 낭비하지는 않을 테니 말이다. 버티자! 머리를 긁적이던 찬우는 컨테이너 벽에 기대어 털썩 앉았다. 앉아 있자니 으슬으슬 한기가 옷 속으로 파고들었다. 낮에 그리 더웠던 게 믿기지 않았다. 얇은 점퍼라도 가져올 걸 그랬다. 후회하던 찬우는 어깨를 으쓱했다. 뭐든 길게 생각하는 건 찬우답지 않았다. 대신 이곳을 대낮처럼 밝히는 저 조명이 꺼질 때까지 무얼 하며 시간을 때울지 고민하기로 했다. 고민도 잠시, 답이 바로 나왔다. 위장이 한여름 밤 매미처럼 울어 댔기 때문이다. 삼각김밥을 꺼내 살살 비닐을 벗겨 입에 물고서 가방 앞주머니에 던져 넣었던 핸드폰을 켰다. 시간을 때울 때에는 역시 핸드폰만 한 게 없다.

“어라, 배터리가 10프로밖에 안 남았네.”

핸드폰이 켜지자마자 요란한 진동과 함께 수십 개의 메시지가 주르르 올라왔다. 욕으로 버무려진 친구들의 메시지를 성의 없이 넘기던 찬우의 눈이 보름달빵만 하게 커졌다. 한주의 메시지가 여러 개였다.

–발표 자료 만들다 보니까 사진 하나가 없어. 선장실 사진이 필요한데 생각해 보니까 아까 네 태블릿으로 찍은 거 같아. 그래서 말인데 네 사진 파일 열어 봐도 될까?

–10시까지 대답 없음 걍 연다.

–오키?

사진 파일? 사진 파일 안에 담긴 한주의 사진들이 머릿속을 스쳐 갔다. 밥을 먹는 한주, 체육 시간에 달리는 한주, 여자애들이랑 깔깔 웃는 한주, 태혁이의 머리를 쥐어뜯는 한주, 발표하는 한주, 바나나우유를 마시는 한주, 한주, 한주. 수많은 한주들. 이런, 시바. 안 돼! 안 돼! 절대 안 돼!

한주가 사진들을 봤을 때 예상되는 반응이 대강 두 가지로 추려졌다. "이 스토커 같은 자식! 당장 꺼져!" 비스무레한 욕설과 함께 온몸으로 쏟아지는 발길질이 첫 번째요, "네가 나를 이렇게 사모하는지 몰랐네, 킥."으로 시작될 시도 때도 없는 놀림과 수행평가 종신 노예 당첨이 두 번째였다. 어느 쪽이든 찬우 인생은 그대로 지옥행이었다. 이제 망한 거라고 보면 됐다.

–안 돼! 보면 절대 안 돼!

급하게 답을 했지만 숫자 1이 사라지지 않았다. 왜 안 보는 거야? 설마 벌써 사진 파일을 연 거야? 아닐 거다. 그건 한주답지 않다. 아마 자료 만드느라 정신이 팔려 문자를 안 보는 걸 거다. 어쩔 수 없다. 전화는 질색이지만 급할 땐 어쩔 수 없다. 찬우는 사라지지 않는 숫자 1을 노려보다 통화 버튼을 눌렀다.

"야! 강찬……."

우렁차게 울리던 한주의 목소리가 푸시시 사그라들었다. 핸드폰이 죽은 것이다.

"으아아악!"

숨어 있던 것도 잊은 채 찬우는 바락바락 소리를 지르며 시계를 봤다. 9시! 한 입 베어 문 삼각김밥을 내동댕이치고 분연히 일어났다. 인생을 구할 시간이 아직 한 시간 남아 있었다.

4.

기껏 잘 숨어들어 놓고 거기서 왜 소리를 질러 가지고. 인생을 구하려는 발걸음을 몇 걸음 내딛기도 전에 찬우는 경비원에게 목덜미를 잡혔다. 역시 현실의 경비원은 유능했다. 곧장 지구대로 자리 옮겨진 찬우는 홀로 지구대를 지키고 있던 경찰을 마주

했다.

“그러니까, 왜 멋대로 항만 시설에 들어갔는지 이유를 말하라니까, 학생.”

피곤에 찌든 얼굴로 경찰이 물었지만 찬우는 우물쭈물 입을 닫았다. 성적 비관으로 인한 가출이라. 스스로 생각하기에도 감히 입에 담기에 한없이 창피한 이유였다. 경찰은 들으란 듯 한숨을 내쉬며 종이 한 장을 내밀었다.

“말로 하기 힘들면 글로 써 봐.”

글로 쓰는 건 더 쪽팔리게 느껴졌지만 뭐라도 해야 할 것 같았다. 머뭇거리던 찬우가 마침내 입을 열었다.

“이거 쓰면 내보내 주시는 거죠? 저 빨리 가야 하는데…….”

그랬다. 9시 10분. 시간이 없었다. 인생이 시시각각 지옥으로 곤두박질치고 있었다. 절박한 찬우의 눈을 빤히 쳐다보던 경찰이 볼펜을 똑딱거리며 찬우에게로 몸을 기울였다.

“부모님이 오셔야 보내지. 조사도 끝나야 하고. 이대로 그냥은 못 보내. 집 나와서 밀항하려던 거 아니야? 그냥 내보냈다가 또 무슨 엉뚱한 일을 저지르려고? 너, 가만있자, 이름이 강찬우라고 했지? 찬우야, 보아하니 너 가출한 지 몇 시간 안 된 거 같은데 무슨 일인지 이유나 들어 보자. 도와줄 수 있는 거면 아저씨가 도와

줄게."

말투도 표정도 어느 한구석 따스하지 않은데 무엇이 찬우의 마음을 건드렸는지 모를 일이었다. 어쩌면 혼자 감당하기 어려운 일들로 어지러웠던 마음이 한 번에 무너진 것일지도 몰랐다. 찬우는 흐릿해지는 눈을 필사적으로 깜박였다. 금세라도 눈물이 흘러나올 것 같았다. 어쩌다 일이 이렇게까지 엉망이 된 걸까? 어디서부터 꼬인 걸까? 늦잠을 자지 말았어야 했는데. 늦게까지 핸드폰을 보지 말 것을. 충전이라도 제때 하든가. 형지가 게이밍 노트북을 아끼든 말든 시치미 뚝 떼고 말걸. 분위기가 썰렁해지던 한주가 제 맘대로 안 된다고 날뛰든 말든 그냥 신경 끌걸. 한주도 한 번쯤은 우리가 자기 마음대로 움직이지 않는다는 걸 경험해도 좋았을 텐데. 아니, 하다못해 사진 파일에 비밀번호라도 걸어 놓을걸. 집에 돌아가면 기계란 기계에는 전부 비밀번호를 걸어 둘 테다.

폭풍우 치는 겨울 파도처럼 밀려드는 후회를 곱씹던 찬우의 눈이 경찰과 딱 마주쳤다. 울컥, 찬우는 콧물을 훌쩍이며 긴긴 이야기를 시작했다. 다행히도 경찰은 간간이 바람 빠지는 소리를 냈지만 크게 웃음을 터트려서 찬우의 입을 막는 불상사를 일으키지는 않았다. 중간에 허기진 배를 채워 줄 야식을 고르느라 잠시 이야기를 멈췄을 뿐, 찬우는 넘쳐흐르는 이야기를 아무런 방해 없이 줄줄이 뱉어 냈다. 형지의 삼촌이 외항선 외항사이고 매사에 쓸데없이 열심인 한주 때문에 외항선을 조사하러 체험 학습을 신청한 것과 맨날 늦는 주제에 그날따라 허세를 부리던 형지가 한주의 노트북을 부숴 먹은 일을 털어놓았다. 사람이 안 하던 짓을 하면 죽는다는 말이 헛말이 아니라는 개인적인 소회도 덧붙였다. 결정적으로 담임의 태평양처럼 넓은 오지랖과 21세기에 걸맞지 않게 개인 정보 보호법의 지엄함을 무시하는 행태를 고발했다.

점심때 불짜장을 먹은 찬우의 취향에 맞춰 주문한 해장국이 도착할 즈음에는 한주의 모습이 담긴 사진 파일 이야기까지 무사히 끝마칠 수 있었다. 이야기를 하다 보니 항만 무단 침입죄에 스토킹죄까지 더해지지 않을까 무척이나 쫄렸다. 조용히 해장국만 휘젓는 찬우 앞으로 무언가가 툭 떨어졌다. 움찔 놀란 찬우 앞에 놓인 것은 다름 아닌 C잭이 달린 핸드폰 충전기였다. 놀란 토끼 눈을 하는 찬우를 보며 경찰이 히죽 웃었다.

"아홉 시 사십 분이다. 네 인생을 구할 시간이 고작 이십 분 남았어."

찬우는 해장국을 휘젓던 숟가락을 동댕이치고 충전기에 핸드폰을 꽂았다. 고속 충전기란 참으로 은혜로운 존재였다. 2분쯤 흐르니 죽었던 핸드폰이 되살아났다. 망설임 없이 단축 번호 1을 꾹 누르는 찬우를 보며 경찰이 누군가를 좋아할 자격을 충분히 갖추었다고 칭찬했다.

'내가 사랑꾼이긴 하지.'

으쓱 올라갔던 찬우의 어깨는 얼마 지나지 않아 급격하게 우그러들었다.

"여보세요? 너 이 시키, 이제까지 연락 안 하고 뭐 했어? 내가 사진 필요하다고 했어, 안 했어?"

전화기 너머에서 한주가 펄펄 뛰었다. 자신의 괴상한 취향을 탓하며 찬우가 다급하게 한주의 말을 끊었다.

"한주야? 숨 쉬자, 숨. 어떤 상황이라도 다 해결할 수 있다는 거 알지? 잘 들어. 사진 파일은 열어 보면 안 돼! 절대 안 돼!"

"뭐? 열어 보면 안 된다고?"

한주가 끄억 비스름한 괴성을 질렀다. 당연했다. 적어도 찬우에게만은 거절이란 걸 당해 본 적이 없었으니까. 충격이 심해서 쓰러지기 전에 찬우는 서둘러 말을 이었다.

"선장실 사진 형지가 찍은 거 있어. 꽤 잘 나왔어. 그걸로 만들면 될 거야. 알았지? 절대 내 사진 파일은 열면 안 돼."

한주가 미심쩍은 말투로 되물었다.

"정말 형지한테 있어?"

"응, 내가 언제 허튼 말 한 적 있어?"

"없지."

"그래, 그럼 됐지?"

"응."

"그럼 나 전화 끊는다."

조심스레 전화를 끊은 찬우가 벌러덩 의자에 늘어졌다. 경찰이 찬우의 손에 숟가락을 쥐여 주며 어서 먹으라고 손짓을 했다. 지옥행을 면하고 나니 새삼 배가 고팠다. 허겁지겁 해장국을 퍼먹는 찬우의 머리 위로 경찰의 무뚝뚝한 목소리가 날아왔다.

"봐, 그렇게 울고불고할 일이 아니잖니. 찬찬히 생각해 보고 혼자 안 될 거 같으면 이야기도 하고 도움도 청하고 하면 대부분은 해결이 되는 거야. 그래도 안 되는 건 마음 내려놓으면 되는 거고. 항만에 간 일도 그래. 갈 수 있어. 가출도 할 수 있고. 하지만 말이야. 한번 잘못한 일은 잘 정리를 해야 해. 아닌 건 아닌 거거든."

뭐, 그렇다고 치자. 덕분에 망하기 직전에 인생을 되살렸는데 저 정도의 꼰대력도 참아 주지 않는다면 인간의 도리가 아니었다. 찬우는 해장국 그릇에 얼굴을 파묻기 전에 아주 크게 고개를 두어 번 끄덕였다. 어느 집 국밥인지 모르겠지만 돼지고기가 노린내도 없는 게 아주 꿀맛이었다. 경찰도 그것으로 만족했는지 더는 말을 늘이지 않았다. 두 사람이 내는 후루룩 소리만 한밤의 지구대 안에 가득했다. 참으로 평화로웠다.

5.

"미친놈아."

그것이 찬우를 맞이하는 친구들의 첫 반응이었다. 어젯밤의 일을 입 밖에 낸 적이 없었건만 형지나 태혁이는 모르는 게 없었다. 도리어 찬우보다 더 많은 걸 알고 있는 듯했다. 엄마들끼리는 비밀이나 창피함이란 건 없는 걸까 궁금해하는 찬우 앞에서 둘은 아는 것을 모두 까뒤집어 토해 냈다. 원래 항만 시설에 무단으로 침입하면 고소당할 수도 있다는 둥, 아무것도 모르는 애한테 그렇게까지 하고 싶지는 않다며 선처한 것이라는 둥, 경찰이 어쩐 일인지 찬우한테 아주 호의적이었다는 둥 신이 났다. 이러려고 '답지' 않게 아침 일찍 등교했구나. 찬우는 형지와 태혁이를 번갈아 흘겼지만 둘의 입은 닫힐 기미가 보이지 않았다.

"그러니까 원래대로라면 벌금이나 뭐 그런 거 내는 거냐?"

"벌금은 안 내지. 촉법소년 뭐 그런 거잖아."

"우아, 뉴스에 나오는 거? 헐!"

"원래는 학교에 알려야 하는데 그것도 봐준다고 했대."

"운 좋은 녀석이네. 법이 아주 물러 터졌어."

형지와 태혁이가 재미난 구경을 놓쳐서 아쉽다며 낄낄 웃었다. 저런 것들도 친구라고. 두 사람을 흘겨보다 말고 형지에게 슬쩍 물었다.

"삼촌은 뭐라시는데?"

형지가 새우 눈을 하고 등을 후려쳤다.

"그게 걱정은 되냐? 걱정되는 놈이 그래?"

우물쭈물, 고개를 숙이는 찬우에게 형지가 투덜댔다.

"으이구, 너 때문에 내가 얼마나 눈치를 봤는지 아냐? 사정을 듣고 삼촌이 웃어넘겨서 그렇지. 어휴! 진짜! 내가 못 살아!"

미안하다며 한숨을 내쉬던 찬우는 교실을 울리는 목소리에 펄쩍 뛰어올랐다.

"강찬우!"

한주였다. 형지와 태혁이가 재미있는 일이 있다며 어서 오라고 손을 흔들었다. 한 치의 흐트러짐 없는 걸음걸이로 찬우에게

다가온 한주가 귓엣말을 했다.

"따라와, 당장."

뜨끔, 내려앉은 심장을 부여잡으며 찬우는 순순히 한주의 뒤를 따라나섰다. 영문 모르는 형지와 태혁이가 어디 가냐며 두어 번을 물었지만 한주는 걸음을 서두를 뿐 대답이 없었다. 인적이 뜸한 곳까지 끌려간 찬우의 심정은 참담했다. 기어코 열어 봤구나. 보지 말라니까. 차마 한주와 눈을 맞출 수 없어 발만 뚫어져라 쳐다보았다. 한 번도 빨아 본 적 없는 삼선 슬리퍼의 삼선이 때가 타다 못해 샛노랬다.

"찬우, 너 어떻게 그럴 수가 있어?"

대뜸 들어오는 추궁에 찬우는 두 손을 마주 잡았다. 싹싹 빌자. 빌어야 산다.

"미안, 나쁜 뜻은 없었어. 그 사진 말이야, 내가 너를……."

찬우의 말을 싹둑 자르고 한주가 냅다 소리를 질렀다.

"그래, 그 사진 말이야! 어떻게 형지 사진을 쓰라고 할 수가 있어? 너 그 사진 봤어? 제대로 안 봤지? 얼마나 엉망인 줄 알아? 초점도 안 맞지, 선장실이 다 나오지도 않았어! 그냥 덜렁 의자 하나 찍혀 있었다고. 사진이 그래서 화가 난 게 아니야. 어떻게 확인도 안 하니? 수행 평가가 나만 위한 거야? 이거 우리 네 사람이 같이 하는 거잖아!"

어? 두 손을 머리 위로 들고 싹싹 빌던 찬우가 눈을 크게 떴다. 그러니까 지금 화를 내는 이유가 형지의 사진 때문이란 거지? 얼굴이 발개진 채 찬우 앞을 서성이며 열변을 토하는 한주의 말을 종합해 보면 그랬다. 찬우의 연락을 기다리며 다른 자료를 만들었고 자정이 넘어 형지에게서 사진을 받았다고 한다. 마지막 한 장만 만들면 끝이었는데 딱 열어 본 형지의 사진이 엉망이었단다. 너무 빨라서 알아듣기가 힘들었지만 대충 정리하자면 완벽한 발표 자료에 오점이 될 만큼 엉망인 사진이었단다.

'그러니까 내 사진 파일은 안 열어 본 거네.'

다 죽어 가던 찬우는 허리를 쭉 폈다. 동그랗게 튼 한주의 똥머리가 내려다보였다. 퐁, 퐁. 똥 머리에 손을 올리고 웃으며 말을 건넸다.

"자, 한주야, 우리 숨 쉬자, 숨. 알잖아. 해결 못 할 일은 없어. 자, 숨 쉬어, 숨."

파닥거리던 한주가 얌전해졌다. 어쩐지 낯빛이 붉어진 것 같았지만 천하의 한주가 그럴 리가 있나. 허리를 굽혀 한주의 얼굴을 확인하려는데 한주가 휙 고개를 들었다.

"오늘부터 발표 연습 들어갈 거니까 그렇게 알아. 어제처럼 너

희들 막 대충 하면 나 진짜 화낸다. 알았지?"

역시 잘못 봤구나. 평소와 다름없는 한주의 모습에 찬우가 얼른 고개를 끄덕였다.

"알았어. 알았어."

"자, 네 태블릿. 아빠가 회사에서 노트북 가져와 주신대."

한주가 태블릿을 돌려주고는 뒤돌아 빠르게 멀어져 갔다. 찬우는 안도의 한숨을 내쉬며 태블릿을 품에 안았다. 이제 다 됐다. 비밀은 영원히 묻힐 것이다. 한주에게 제 마음을 들킬 기회도 사라졌다. 어쩐지 조금 섭섭했다. 돌아온 태블릿을 멍하니 어루만지는 찬우를 향해 저만치 멀어진 한주가 빙그르르 뒤돌아서서 히죽 웃었다.

"그런데 찬우야."

"응?"

찬우는 무심코 고개를 들었다. 귀밑까지 입꼬리를 길게 늘이며 한주가 한껏 웃었다.

"네가 나를 그렇게 좋아하는 줄은 몰랐어. 킥킥킥, 아이들한테는 비밀로 해 줄게. 대신 알지? 앞으로 잘 부탁해. 수! 행! 평! 가! 노! 예!"

종종종, 기쁘게 뛰어가는 한주의 뒷모습을 보며 찬우는 입을 헤 벌렸다. 뒤통수가 다 얼얼했다. 그러면 그렇지, 보지 말란다고 안 볼 한주가 아니지. 한참 만에야 정신이 돌아왔다.

참으로 경찰 아저씨의 말이 옳았다. 안 되는 건 마음 내려놓으면 되는 거고, 한번 잘못한 일은 정리를 잘해서 다시 안 하면 된다. 그런 생각을 하자니 빠르게 체념이 됐다. 한주의 놀림이 언제까지 계속될지는 알 수 없었다. 희망 회로를 돌리자면 한주의 저 반응은 그저 놀리는 게 아니라 찬우의 마음을 긍정적으로 생각하고 있다는 뜻인지도 몰랐다. 그러고 보니 아까부터 한주의 웃는 입꼬리가 어색하게 떨렸던 것 같기도 했다. 심장이 쿵쾅쿵쾅 정신 사납게 뛰었다. 하지만 그건 좀 더 찬찬히 생각해 보기로 했다. 지금 당장 해야 하는 일을 하자. 찬우는 태블릿 화면을 켜고 비밀번호를 설정하기 시작했다. 태블릿의 비밀번호가 제대로 작동하는지 두어 번 살피고는 한주를 향해 뛰기 시작했다. 한주는 늦는 걸 싫어하니까.

나의 청소년기는 참으로 재미가 없었다. 나름대로 말 잘 듣는 장녀였고 대학 보내는 것을 지상 과제로 삼던 작지만 엄한 여고를 나왔다. 겉으로만 보면 얌전하기 그지없는 모범생이었다. 그렇다고 얌전히 지냈다고는 말할 수 없다. 학교에 밤늦게까지 남아 있어야 해서 하루 두 끼를 꼬박 학교에서 먹었다. 지금처럼 급식이 있던 시절이 아니었기에 점심은 도시락으로, 저녁은 가까운 상가의 분식집에서 때웠다. 무릇 모범생이라면 저녁을 먹고 제시간에 학교로 돌아가야 했지만 나는 종종, 고백하자면 자주, 또는 매일, 밖으로 나돌았다. 그렇다고 멀리 갔던 건 아니다. 분식집 옆에는 아주 작은 만화방이 있었다. 다섯 명 정도 들어가면 딱 맞을 크기였고 여섯 명이 들어가면 서로 무릎을 맞댄 채 만화를 봐야 했다. 저녁 어스름이 깔리는 시간에는 나 말고도 무릎을 맞댈 학생들이 많았다. 나는 매일 두어 시간을 만화방에서 보내고 종례가 시작되기 전에 담장을 넘어 교실로 미끄러져 들어가곤 했다. 지금 생각해 보면 그렇게 평화로웠던 때가 없었다. 결국 성적이 떨어지고 담임에게 호출당하는 흑역사를 썼지만 여전히 나는 그 시간을 가장 행복했던 시간으로 기억한다.

담임의 호출에 차마 밀항하지 못하고 터덜터덜 교무실로 향했던 내 어린 시절을 위해 〈한주는 늦는 걸 싫어한다〉를 썼다. 다시 시간을 돌린다면 나는 또다시 만화방으로 발걸음을 옮길 것이고, 어쩌면 밀항을 할지도 모르겠다.

작가소개

유이영

샴푸의 성분명을 읽으며 머리를 감을 정도로 글을 사랑한다. 좋아하는 것을 더 힘껏 좋아하기 위해 'JY 스토리텔링 아카데미'에서 글공부를 시작했다. 이듬해 우수 출판 콘텐츠, 아르코 문학 나눔, 청소년 교양 도서에 연이어 선정되는 등 각종 기관의 선택을 받았다. 현재는 전국 강연과 한국문화예술위원회 상주 작가 사업으로 현장 독자들을 만나는 행운을 누리고 있다. 받은 행복을 돌려주고 싶어서 오늘도 열심히 듣고 느끼고 담는 중이다. 오래 쓰는 사람으로 남고 싶다. 《교서관 책동무》, 《인권 존중의 씨앗》, 《마녀를 구하라》 등을 김영주라는 이름으로 출간했고, 유이영으로 쓴 <정답 없는 오답 노트>를 시작으로 좀 더 넓은 층의 독자를 만나려고 한다.

윤수란

하루는 할머니가 된 나를 상상하고 하루는 일곱 살이었던 나를 기억하면서 책을 읽고 이야기를 짓고 있다. 《어린이와 문학》의 추천을 받아 작품 활동을 시작했으며, '출판놀이 창작실험실 1회 공모전'에 당선되었고, 아르코 문학나눔과 경기문화재단 출간지원 공모에 선정되었다. 청소년소설 《플랫폼Z; 만남의 광장》, 어린이책 《두근두근 두뇌성형 프로젝트》, 《흰 머리 아이 천백모》, 《출동, 방귀 소년》, 그림책 《언니를 만나는 밤》을 썼다. 중등교사로서 동료 선생님들과 함께 《단편소설 창작 수업》, 《대한민국 1호 미래 학교》, 《중학생 개념학교 시》, 《중학생 개념학교 소설》 등을 집필했다.

정명섭

대기업 샐러리맨과 바리스타를 거쳐 현재 전업 작가로 활동 중이다. 다양한 장르의 글을 쓰고 있으며, 강연과 라디오, 유튜브와 팟캐스트 출연 등을 통해 독자와 만나고 있다. 글은 남들이 볼 수 없는 은밀하거나 사라진 공간을 이야기할 때 빛난다고 믿는다. 《미스 손탁》, 《어린 만세꾼》, 《저수지의 아이들》, 《훈민정음 해례본을 찾아라》, 《시간을 잇는 아이》, 《기억 서점》, 《조선의 형사들》 등의 역사 소설을 집필했다. 2013년 《기억, 직지》로 제1회 직지소설문학상 최우수상을, 2016년 《조선변호사 왕실소송사건》으로 제21회 부산국제영화제에서 NEW 크리에이터상을, 2020년 《무덤 속의 죽음》으로 한국추리문학상 대상을 수상했다.

김영주

동화와 청소년 소설을 쓴다. MBC 창작동화대상과 위즈덤하우스 어린이 청소년 판타지문학상을 받았으며 서울문화재단 예술창작지원 문학 공모에 선정되었다. 《30킬로미터》, 《루미너스 오늘부터 데뷔합니다》, 《엄마 이름은 T-165》, 《육두품 아이 성무의 꿈》, 《임욱이 선생 승천 대작전》, 《거울 소녀》, 《똥 먹는 나라의 연우》, 《하얀빛의 수수께끼》, 《Z캠프》, 《이불 귀신 동동이》, 《반려 요괴》 등 다수의 책을 집필했다.

우주나무 청소년문학3 오답 노트를 쓰는 시간

초판 1쇄 인쇄 2025년 1월 6일 | 초판 1쇄 발행 2025년 1월 31일
글 유이영 윤수란 정명섭 김영주 | 편집 한지연 | 디자인 아이디스퀘어
펴낸이 정하섭 | 펴낸곳 우주나무 | 출판신고 제2021-000100호
주소 10881 경기도 파주시 회동길 480 아트팩토리 B동 236호
전화 070-8848-1905 | 팩스 0505-360-1905 | 메일 woojunamup@naver.com
블로그 https://blog.naver.com/woojunamup | 인스타그램 @woojunamu_publishing

ISBN 979-11-93152-31-7 44810 ISBN 979-11-89489-95-3(세트)